Initiation et pratique de la course de fond

Initiation et pratique de la course de fond

S. FISHPOOL

VIGOT

NOTE
Les points de vue et les conseils donnés dans ce livre ne sont fournis qu'à titre indicatif. L'éditeur et l'auteur ne peuvent être tenus légalement responsables de tous les problèmes, accidents ou dommages occasionnés par l'utilisation de cet ouvrage.

Traduction française de Gwenaël Hubert

23, rue de l'École-de-Médecine,
75006 Paris, France.
Dépôt légal : mars 2004
ISBN 2-7114-1622-4.

Imprimé en Chine

TABLE DES MATIÈRES

Introduction

À bien égards, vous auriez tort de refuser cette occasion de vous mettre à la course à pied. Une paire de chaussures de course ne coûte pas plus cher qu'une inscription à un club de sport, mais surtout, la pratique de ce sport vous permettra, peut-être pour la première fois de votre vie, de vous sentir en meilleure santé, plus détendu et plus sûr de vous, et ce plus rapidement qu'avec toute autre activité.

Les bienfaits de la course à pied

La course à pied présente l'avantage de pouvoir être pratiquée sans contrainte : vous pouvez courir seul, avec un ou plusieurs amis, pour vous rafraîchir les idées et vous détendre à la fin de la journée, ou en suivant un programme avec des objectifs de distances et de temps que vous n'auriez jamais pensé pouvoir atteindre.
Plus de 15 % de la population de l'Europe apprécie déjà les bienfaits

Avantages de la course à pied

Perte de poids
La course à pied permet de brûler les calories plus vite que toutes les autres activités. Une course de 1 600 m fait dépenser 100 calories ; un footing de seulement 30 min peut brûler 250 à 500 calories.

Un moment de tranquillité
Pendant 40 min, oubliez tout ce que vous avez à faire pour prendre l'air et apprécier d'être seul avec (ou sans) vos pensées.

Amélioration de la santé
La pratique de la course à pied renforce l'immunité contre la maladie. Par exemple, courir 145 min par semaine réduit les risques cardiaques de 40 %. La course a un effet salutaire sur le niveau du bon cholestérol, et elle combat le diabète, l'arthrite et l'ostéoporose.

Plus d'énergie et une meilleure condition physique
L'exercice aide l'organisme à travailler plus efficacement, en améliorant le métabolisme, la régénération cellulaire, et le rapport entre la masse grasse et la masse maigre du corps. Il renforce et galbe les mollets, les cuisses, les hanches et les fessiers.

Diminution du stress
Les coureurs sont moins sujets à la dépression que les personnes sédentaires, en partie grâce aux endorphines que le corps libère, mais aussi parce qu'ils apprécient d'avoir accompli quelque chose.

Un style de vie plus sain
La course à pied vous fera réfléchir à votre style de vie. Vous adopterez probablement de meilleures habitudes de sommeil et arrêterez la cigarette et les excès de boisson. De nombreux coureurs préfèrent aussi manger plus sainement.

Confiance en soi
Vous vous sentirez mieux parce que vous saurez que vous êtes en forme, motivé et en passe d'atteindre vos objectifs de course, ce qui aura une incidence positive dans d'autres domaines de votre vie.

Une connaissance de son corps
Vous découvrirez les types d'effort auxquels votre corps réagit le mieux. Si vous participez à des compétitions ou travaillez la vitesse, vous apprendrez comment votre corps résiste à la pression.

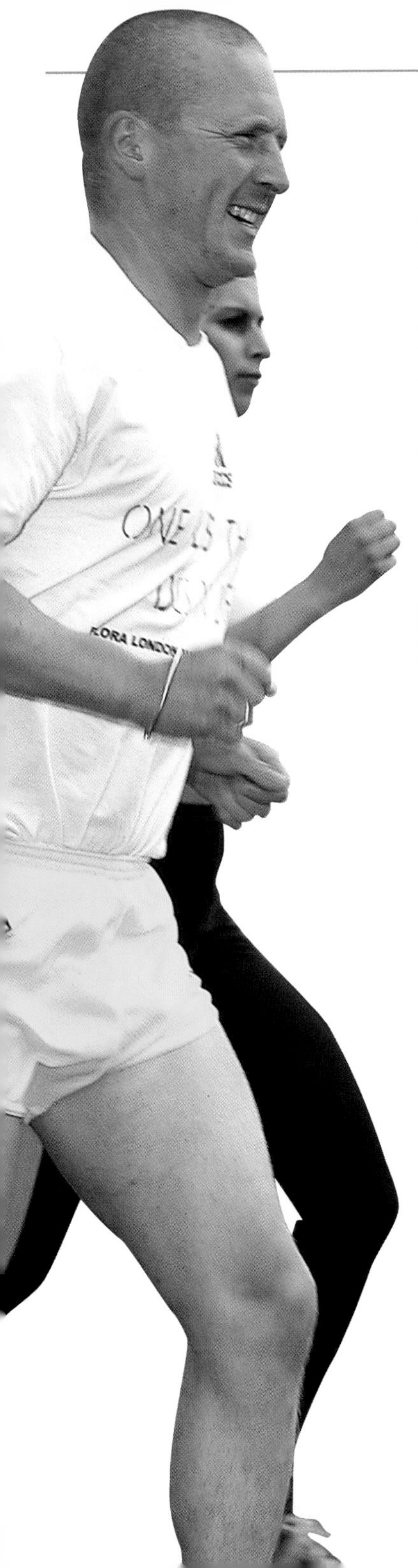

de l'exercice régulier au niveau de la santé, de l'élimination des graisses et du stress.

Ce livre comporte des programmes d'entraînement quotidien destinés aussi bien aux débutants qu'aux spécialistes. Vous y trouverez des conseils simples qui vous guideront dans tout ce dont vous aurez besoin pour courir, quels que soient votre niveau et les raisons pour lesquelles vous avez choisi la course à pied.

Outre ses effets bénéfiques sur la forme physique, la pratique de la course à pied présente le grand avantage de ne pas coûter cher ; pour commencer, il suffit d'une bonne paire de chaussures de course, d'un short et d'un T-shirt.

RÉUSSITE : Sarah Yates

Sarah, journaliste de 34 ans, a toujours fréquenté les clubs de gym, sans jamais vraiment parvenir à acquérir la condition physique qu'elle recherchait. Peu convaincue lorsqu'un professeur de gym lui conseilla de passer plus de temps sur le tapis de course, elle commença néanmoins un programme qu'elle suivit scrupuleusement. Peu de temps après, elle s'inscrivit à une course de 5 km dans sa région et elle décida de participer à un 10 km deux mois plus tard. Aujourd'hui, Sarah s'entraîne dans les bois trois fois par semaine, et elle essaie de participer à une course tous les deux mois.

RÉUSSITE : Simon Jordan

Simon, 47 ans, directeur d'une agence de publicité, se mit à la course à pied parce qu'il avait 13 kg de trop. Il dut consacrer les deux premiers mois à un programme d'amaigrissement et de remise en forme (marche rapide et natation). Lorsqu'il intégra une série de joggings de 2 min dans ses marches, il fut surpris de la facilité avec laquelle il les effectuait. Pendant encore trois mois, il allongea la durée des intervalles de jogging, jusqu'au moment où il s'aperçut qu'il pouvait courir à petites foulées pendant 30 min sans interruption, et qu'il avait déjà perdu 9 kg. Un an après, il prend plaisir à courir quatre à cinq fois par semaine.

Préparation

La lecture des pages précédentes vous a peut-être déjà donné l'envie de franchir le pas, mais attendez encore un petit peu, afin de recueillir les informations nécessaires à l'établissement de bases solides. Cette introduction, qui répond aux questions principales, vous permettra de vérifier si vous pouvez commencer la course sans risque, et vous montrera comment utiliser ce livre pour devenir rapidement un coureur à part entière.

Comment utiliser ce livre

Le premier chapitre concerne les chaussures, les vêtements, les accessoires, la nourriture, la boisson, les étirements, l'entretien de la force corporelle, et la motivation, dont l'importance est capitale. Il n'est pas nécessaire d'assimiler toutes ces informations avant d'aller faire votre premier jogging.

Courir est la portée de tous, quel que soit l'âge.

Plus loin dans cet ouvrage, vous trouverez six niveaux d'entraînement (lisez d'abord les conseils de sécurité p. 9-11). Certains commenceront au premier niveau et progresseront jusqu'à un niveau en accord avec leur aptitude physique et leur détermination. D'autres souhaiteront répondre à un besoin spécifique, comme préparer une course de 10 km.

Le niveau 1 s'adresse aux débutants, et le niveau 6 aux coureurs expérimentés qui visent à terminer le marathon en moins de 3 h ou un 10 km en 35 min. Les programmes de compétition et de forme physique vous donneront pleine satisfaction, que vous ayez un objectif précis ou que vous désiriez simplement sortir

1 — Niveau débutant

Grands débutants. Quatre jours de course et de marche par semaine.

2 — Niveau débutant

Débutants un peu expérimentés qui peuvent courir 30 min sans interruption, trois à quatre fois par semaine.

3 — Niveau reprise

Coureurs qui ne pratiquent plus ou qui peuvent courir 25-50 km en quatre à cinq fois dans la semaine.

4 — Niveau intermédiaire

Coureurs réguliers qui peuvent courir 40-55 km en quatre à six fois dans la semaine.

5 — Niveau supérieur

Coureurs expérimentés s'entraînant cinq à six jours par semaine, y compris ceux qui souhaitent terminer le marathon en 3:30-4:15.

6 — Niveau supérieur

Coureurs expérimentés s'entraînant six à sept jours par semaine, y compris ceux qui souhaitent courir le marathon en 2:45-3:30.

au grand air sans devoir penser à ce qu'il faudra faire ce jour-là. Vous pouvez courir juste en suivant votre instinct, mais il est plus facile, moins dangereux et beaucoup plus efficace de se conformer à un type de programme qui développera votre condition physique très rapidement, en vous donnant les jours de repos et d'entraînement facile dont votre corps aura besoin pour se renforcer et éviter les blessures.

Un programme vous évitera de tomber dans le piège commun qui consiste à essayer de trop en faire, trop souvent. Il vous conduira progressivement vers vos objectifs (voir p. 40-41).

RÉPONSES AUX QUESTIONS-OBJECTIONS

Je n'ai pas le temps

Il suffit de 20-30 min, trois à quatre fois par semaine, pour tirer profit de la course à pied ; aucune autre activité n'est aussi efficace. Vous serez surpris de la facilité à laquelle on peut y consacrer du temps, surtout avec le soutien de ses proches.

Suis-je trop gros ?

Non. Il y a un coureur qui sommeille en chacun de vous, quelle que soit votre ligne ! Cependant, si vous dépassez votre poids idéal de 20 %, commencez doucement avec un programme régulier de marche rapide et d'activités qui génèrent peu de chocs sur le plan articulaire (cyclisme ou natation) (voir p. 38-39).

Genoux ou chevilles faibles

La course à pied peut vous fortifier les articulations et les muscles. Pour ménager vos articulations, optez pour des chaussures qui soutiennent le pied et amortissent les chocs (voir p. 16-17), et courez sur des surfaces douces quand c'est possible (voir p. 10-11).

Suis-je trop vieux ?

Il n'est jamais trop tard pour tirer profit de la course à pied, à moins d'avoir une maladie qui vous en empêche. Les sexagénaires qui courent pour se détendre rivalisent souvent avec les jeunes participants. La course à pied aide à renforcer les os et à réduire les risques cardiaques, mais si vous avez plus de 40 ans, consultez votre médecin avant de commencer.

Suis-je trop lent ?

Absolument pas, et si vous avez besoin de preuves, il suffit de vous rendre à une course locale pour y voir la très grande diversité des participants. Que vous couriez le mile (1,6 km) en 5 ou 15 min, vous êtes un coureur tant que vous continuez à mettre un pied devant l'autre.

Je suis malade

Il est vrai que la course à pied est parfois contre-indiquée à certaines personnes, et qu'elle peut demander à d'autres d'agir avec la plus grande prudence. Lisez les conseils de sécurité page 11, et consultez votre médecin en cas de doute.

Premières foulées

Chaque coureur doit se donner une base de départ. Si vous voulez partir du bon pied, respectez les principes suivants, et tout devrait bien se passer.

Établir un objectif

Qu'il s'agisse de disputer une épreuve de demi-fond ou de fond, de perdre du poids, ou juste de courir 30 min sans interruption, fixez-vous un objectif important mais réalisable, et donnez-vous un délai pour l'atteindre. Ainsi, vous augmenterez vos chances de rester motivé (voir p. 40-41 pour des conseils sur la détermination des objectifs).

Des chaussures de bonne qualité sont absolument indispensables pour courir avec aisance et éviter les graves blessures.

Des chaussures appropriées

Des chaussures de course adaptées, seul achat vraiment incontournable, sans qu'il soit nécessaire d'y mettre le prix, réduiront au minimum les risques de blessure et vous aideront à faire vos premières foulées avec aisance. Si possible, allez dans un magasin spécialisé pour vérifier que vous avez bien évalué vos besoins. Les vêtements spécialement conçus pour la course, très confortables (et à la mode !), ne sont pas indispensables (voir p. 14-23 pour en savoir plus sur les chaussures, les vêtements et l'équipement).

Les cinq meilleures surfaces pour courir

Chemin sans aspérités
Les chemins non bitumés, les pistes en aggloméré ou les chemins forestiers amortissent naturellement les chocs et vous feront traverser des paysages magnifiques et inspirateurs. Pour plus de sécurité, courez toujours avec un partenaire.

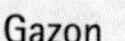

Gazon
Il s'agit d'une autre surface douce et propice à la course. Il est préférable d'éviter les herbes hautes qui cachent parfois des trous ou des ornières.

Piste de stade
Il est peut-être moins passionnant de courir sur les pistes de stade, mais leur surface plane est conçue pour amortir les chocs. De plus, un tour de piste fait exactement 400 m, ce qui permet de calculer facilement sa vitesse et de noter ses progrès de semaine en semaine.

PRÉCAUTIONS

- Souffrez-vous du cœur ?
- Y a-t-il des antécédents de maladie cardiaque dans votre famille ?
- Vous a-t-on déjà dit de ne faire de l'exercice physique que sur le conseil d'un médecin ?
- Avez-vous des douleurs de poitrine pendant l'activité physique ?
- Avez-vous déjà eu des douleurs de poitrine sans faire d'exercice ?
- Vous arrive-t-il de perdre l'équilibre à cause de vertiges ?
- Avez-vous un problème osseux ou articulaire ?
- Prenez-vous des médicaments pour la tension artérielle ?

Si vous avez répondu « oui » à l'une de ces questions, consultez votre médecin avant de faire de gros efforts physiques.

- De plus, si vous avez plus de 40 ans, ou si vous ne vous êtes pas exercé régulièrement ces cinq dernières années, n'oubliez surtout pas qu'il faut progresser avec prudence et écouter votre corps.

Trouver un partenaire pour courir

Pensez à convaincre un ami de se mettre à la course avec vous, ou renseignez-vous sur l'adhésion à votre club de course local dans le groupe des débutants. Le soutien et la motivation que vous y trouverez seront inestimables.

Cardiofréquencemètre

Un simple cardiofréquencemètre, moins cher qu'une paire de chaussures, permet de vérifier que l'on court à l'allure souhaitée. (Voir p. 22 pour en savoir plus sur le choix de l'appareil, et p. 48 pour des conseils simples et efficaces sur l'entraînement avec un cardiofréquencemètre).

Allez-y !

Si la course ne vous est pas contre-indiquée et que vous avez des chaussures adaptées, commencez dès aujourd'hui !

Asphalte

Cette surface lisse n'est ni la plus douce ni la plus dure. L'idéal est de ne pas courir plus des deux tiers de votre kilométrage sur l'asphalte, et de toujours porter de bonnes chaussures pour éviter les blessures.

Tapis de course

Les tapis de course ne procurent pas les sensations agréables de la course au grand air, mais ils sont pratiques, sûrs, et leur surface plane amortit les chocs. Le travail sur ce type d'appareil peut néanmoins provoquer un léger déséquilibre des muscles sollicités par la course ; associez-le à des exercices de force et à de la course sur route quand c'est possible. C'est une excellente manière de reprendre l'entraînement après une blessure.

À ÉVITER

Béton

Les surfaces en béton, essentiellement formées de pierres concassées, provoquent des tensions maximales au niveau des articulations.

Bas-côtés

Le dénivelé qui borde les routes permet à l'eau de s'écouler. Si la différence de niveau est importante, le corps risque d'en subir des conséquences au fil du temps. Évitez les forts dénivelés et changez de direction le plus souvent possible.

1

Principes fondamentaux

Pour devenir un coureur efficace, vous avez besoin d'un maximum de soutien.
Cette partie vous l'apporte en exposant tout ce qu'il faut savoir sur l'alimentation (à l'entraînement et pour les compétitions), la prévention des blessures, l'amélioration de la condition physique dans le cadre d'un entraînement multisport, et le choix des meilleurs vêtements et chaussures pour courir avec aisance et plaisir. Vous apprendrez également à vous fixer des objectifs et à entretenir votre motivation, ce qui vous permettra de tirer profit de la course à pied pendant de nombreuses années.

Choix des chaussures

Trouver la bonne paire de chaussures peut prendre du temps. Si vous en choisissez une juste pour son prix ou son aspect, il est fort probable que vous vous exposiez à des problèmes, mais vous ne risquez guère de vous tromper en suivant nos conseils et en allant dans un magasin spécialisé.

Trouver chaussure à son pied

Vous ne courrez pas loin dans des chaussures inadaptées à vos pieds. La plupart des coureurs optent pour des modèles larges à l'avant (pour ne pas comprimer les orteils) et étroits à l'arrière (pour bien maintenir le talon et la cheville). Pour éviter la formation d'ampoules, il faudra laisser un espace d'environ une largeur de pouce entre le gros orteil et l'extrémité de la chaussure (de nombreuses personnes ont constaté qu'elles avaient besoin de chaussures de course une taille au-dessus de leur pointure habituelle).

Des chaussures pour vos besoins

En général, de bonnes chaussures amortissent les chocs au niveau des articulations et des tissus et elles maintiennent le corps correctement aligné pendant la course. Le degré de stabilité nécessaire dépend de la qualité des appuis plantaires lors du mouvement cyclique du pied (phase de prise de contact au sol suivie d'une phase de poussée sur les orteils, voir p. 95). Si vous êtes « hyperpronateur » (pieds qui pivotent trop vers l'intérieur), choisissez des chaussures plus stables conçues pour réduire ce défaut. Si vous êtes « supinateur » (pieds en hyperappui sur l'extérieur), il vous faut des chaussures qui facilitent le mouvement en absorbant davantage les chocs.

Si vos pieds sont « normaux » (ou « universels »), optez pour un compromis entre les deux modèles précédents. Un vendeur bien informé vous aidera à analyser votre foulée.

Quelques conseils pour trouver les bonnes chaussures

1 PRIX

Le prix n'est pas toujours synonyme de qualité. Si vous n'avez pas de problèmes de stabilité ou que votre kilométrage est faible, vous trouverez des chaussures de bonne qualité peu coûteuses.

2 STYLE

N'achetez pas d'autres chaussures de sport que celles spécialement conçues pour répondre aux exigences de la course à pied. Elles sont absolument indispensables pour le confort.

3 TEST

Avant d'acheter des chaussures, essayez-les afin de vérifier qu'elles vous conviennent bien. Certains magasins proposent de faire quelques foulées à l'intérieur ou à l'extérieur (par temps sec).

4 POIDS

Bien qu'une chaussure légère semble idéale, elle peut rapidement être à l'origine de blessures, car son système d'amortissement et de stabilité risque d'être insuffisant à un usage quotidien.

Les nombreuses appellations commerciales données par les fabricants de chaussures, comme Asics Gel ou Nike Air, font souvent référence à divers systèmes brevetés d'amortissement et de stabilité insérés dans la semelle intermédiaire en mousse. Ne vous inquiétez pas outre mesure à propos des légères différences entre ces systèmes ; d'une manière générale, la structure d'une chaussure et la sensation éprouvée une fois le pied dedans constituent des critères d'appréciation bien plus importants. En cas de doute, demandez l'avis d'un professionnel dans un magasin spécialisé. Si vous ne parvenez pas à vous faire expliquer la pronation et la structure des chaussures, trouvez un magasin où le personnel sera compétent en la matière.

Ces chaussures de course contiennent du gel à l'avant et au niveau du talon pour améliorer l'amortissement.

Combien de temps mes chaussures doivent-elles durer ?

La durée de vie d'une chaussure dépend du coureur, du type de chaussure et de la surface de course. Il n'est pas toujours évident de s'apercevoir qu'une chaussure est usée et a besoin d'être remplacée. En général, la semelle intermédiaire est la première partie à se détériorer (c'est-à-dire l'épaisse couche de mousse entre la semelle intérieure, qu'on peut enlever, et la semelle de contact au sol, en caoutchouc dur). Il en résulte une diminution des qualités d'amortissement et de stabilité. Notez les kilomètres que vous parcourez et ne négligez pas des douleurs inexpliquées. Vous pouvez aussi placer la chaussure sur une surface plane pour vérifier qu'elle ne présente pas de nette inclinaison, et examiner si la semelle intermédiaire n'est pas fragilisée ou très plissée.

Certains coureurs usent prématurément l'empeigne ou la semelle de contact au sol, mais ces parties de la chaussure ne sont pas des indicateurs fiables de sa durée de vie. En général, plus un coureur est corpulent et plus ses chaussures sont légères et souples, plus elles perdront rapidement leurs propriétés d'amortissement et de stabilité. Enfin, les semelles durent plus longtemps lorsqu'on court sur une surface douce (la pelouse est excellente). Il existe de grandes différences d'une part entre les coureurs et d'autre part entre les chaussures ; il est donc impossible de faire des généralités sur la durée de vie de celles-ci, mais on peut estimer à 650 km la distance moyenne qu'une bonne paire permet de courir (entre 400 et 500 km pour un coureur corpulent, et plus de 950 km pour un coureur léger et dynamique).

Types de chaussures

Il existe trois catégories principales de chaussures de course, qui reflètent trois types différents de biomécanique, et trois autres catégories pour les types de course spécialisés. L'idéal est de faire étudier sa foulée par un spécialiste en la matière ; si cela n'est pas possible, des chaussures normalement stables constituent un bon point de départ. N'oubliez pas que si la qualité n'est pas toujours garantie par le coût, elle est généralement en rapport avec le prix que l'on paye, mais choisissez en priorité des chaussures adaptées à vos pieds et à vos besoins.

Prendre soin de ses chaussures

Pour maximiser la durée de vie de vos chaussures, rangez-les dans un endroit frais et sec, et lavez-les à la main ; ne les mettez jamais dans la machine à laver avec de la lessive et ne les faites pas non plus sécher dans le sèche-linge. Si elles ont pris l'eau, laissez-les sécher à température ambiante.

Amortissantes

Ces chaussures simples, destinées aux coureurs qui n'ont pas de problèmes biomécaniques ou aux pieds rigides, sont souvent les plus légères et les plus souples. Notez que toutes les chaussures de course amortissent les chocs, pas seulement celles-ci.

Performance

Ces chaussures pour la course rapide amortissent moins les chocs et maintiennent moins le pied que les modèles classiques. Les coureurs légers et rapides les utilisent pour s'entraîner à vive allure, et les coureurs normaux, pour la compétition et le travail de vitesse. En général, elles pèsent entre 280 et 320 g pour une pointure de 42,5.

Contrôle

Ces chaussures résistantes sont conçues pour les supinateurs (coureurs dont les pieds ne pivotent pas assez vers l'intérieur) et pour les personnes corpulentes qui ont besoin d'un maximum de soutien.

Compétition

Ces chaussures minimalistes, très légères, offrent le maximum de sensibilité. Destinées aux coureurs légers et dynamiques, certaines ne conviennent que pour les courtes distances. Elles pèsent habituellement entre 200 et 260 g.

Stabilité

Ces chaussures, dont les renforts supplémentaires assurent plus de stabilité, sont conçues pour les hyperpronateurs (dont les pieds pivotent un peu trop vers l'intérieur). Pour beaucoup, elles présentent une combinaison idéale de confort et de soutien.

Tout terrain

Ces chaussures adhèrent mieux sur des sols mous et boueux, mais seuls certains modèles sont vraiment efficaces. Celles avec des pointes sont une version plus extrême. Légères, avec un système limité d'amortissement et de stabilité, elles permettent néanmoins une traction extraordinaire.

Vêtements d'été

Vous pouvez courir avec un vieux T-shirt en coton et un vieux short, à condition qu'ils soient amples, mais les vêtements spécialement conçus pour la course, plus confortables, peuvent vous donner l'envie de courir plus souvent. Ceux en fibres synthétiques sont plus légers et plus chauds que ceux en coton lorsqu'ils sont mouillés, et de nombreux modèles évacuent la transpiration.

Vêtements d'été de base

En été, vous aurez besoin de vêtements légers qui ne vous restreignent pas dans vos mouvements. La plupart des coureurs se contentent d'un T-shirt et d'un short. Les vêtements en fibres synthétiques, comme le polyester, présentent l'avantage de ne pas faire transpirer autant que ceux en coton épais.

Soutien-gorge de sport

En été comme en hiver, il s'agit d'un article absolument indispensable pour les femmes (quel que soit leur tour de poitrine). Les soutiens-gorge classiques réduisent les mouvements de la poitrine d'environ 35 %, mais un bon modèle de sport les limite jusqu'à 60 %. Les tailles de bonnet A et B conviennent généralement aux styles brassière ; les modèles plus larges nécessitent des bonnets moulés. Dans un cas comme dans l'autre, cherchez un soutien-gorge adapté aux activités génératrices de chocs importants sur le plan articulaire.

Shorts de course

Les modèles classiques sont constitués d'une légère couche extérieure (généralement fendue sur les côtés pour garantir la liberté de mouvement) et d'un slip intégré. Si vos jambes sont sujettes aux irritations, vous pouvez porter un short de cyclisme en lycra sous celui de course. Quel que soit votre choix, le short doit être léger, confortable et fabriqué dans un tissu qui sèche vite.

Collants de course

Les soirées fraîches d'été, certains coureurs préfèrent porter des collants longs légers (ou un pantalon du même type), généralement en lycra, et très confortables.

Chaussettes techniques

Elles sont constituées de fibres qui respirent. Choisissez une paire bien ajustée, et une en laine et nylon pour les jours pluvieux, car elles restent chaudes et confortables, même humides.

Maillot respirant

En été, par temps chaud, de nombreux coureurs optent pour un maillot respirant sans manches, qui fait passer la transpiration de la peau à la surface extérieure du vêtement, où elle s'évapore.

T-shirt respirant

À l'instar des maillots respirants, les T-shirts en même matière sont légers et agréables à porter. Ils sont préférables au coton que la transpiration alourdit et humidifie.

Vêtements d'hiver

Malgré le froid et la pluie, courir en hiver peut être une expérience vraiment unique, et aussi agréable qu'en été si vous respectez les trois conseils ci-contre.

Vêtements d'hiver de base

Choisissez des vêtements légers qui protègent du froid. Une veste, un pantalon et un haut à manches longues en Thermolactyl sont indispensables, à condition qu'ils soient légers et adaptés à la course. Les blousons sans manches, très pratiques par temps plus doux, limitent moins les mouvements.

Veste de course légère

Les vestes légères et respirantes évacuent la transpiration abondante provoquée par la pratique de la course à pied, sont imperméables et protègent aussi du vent, ce qui évite de prendre froid. Par contre, les vestes complètement imperméables tiennent trop chaud et laissent le corps en nage. Certaines matières techniques (comme Klimate), à la fois imperméables et respirantes, permettent l'évaporation de la sueur.

Haut léger à manches longues en Thermolactyl

Également appelé « épaisseur de base », il s'agit d'un T-shirt synthétique à manches longues dont les mailles retiennent l'air chaud à l'intérieur. On le porte à même la peau, sans rien par-dessus par temps doux, ou sous une autre épaisseur lorsqu'il fait plus frais. Pour être à l'aise, choisissez un modèle près du corps.

Pantalons ou collants

Les collants moulants, ou les pantalons un peu plus amples à sous-pieds, sont plus légers et sèchent plus vite que les pantalons de survêtement en coton. Les collants tiennent souvent plus chaud, surtout lorsqu'il pleut.

Blouson sans manches

Les blousons légers sans manches, prisés par une multitude d'adeptes de la course à pied, tiennent le torse chaud, en laissant l'air circuler et les bras libres. En général, ils protègent du vent et sont imperméables.

Survêtement imperméable

Certains coureurs apprécient la protection d'une veste imperméable légère, même si elle les fait parfois un peu transpirer. Les pantalons K-way® peuvent aussi être utilisés par temps froid et orageux.

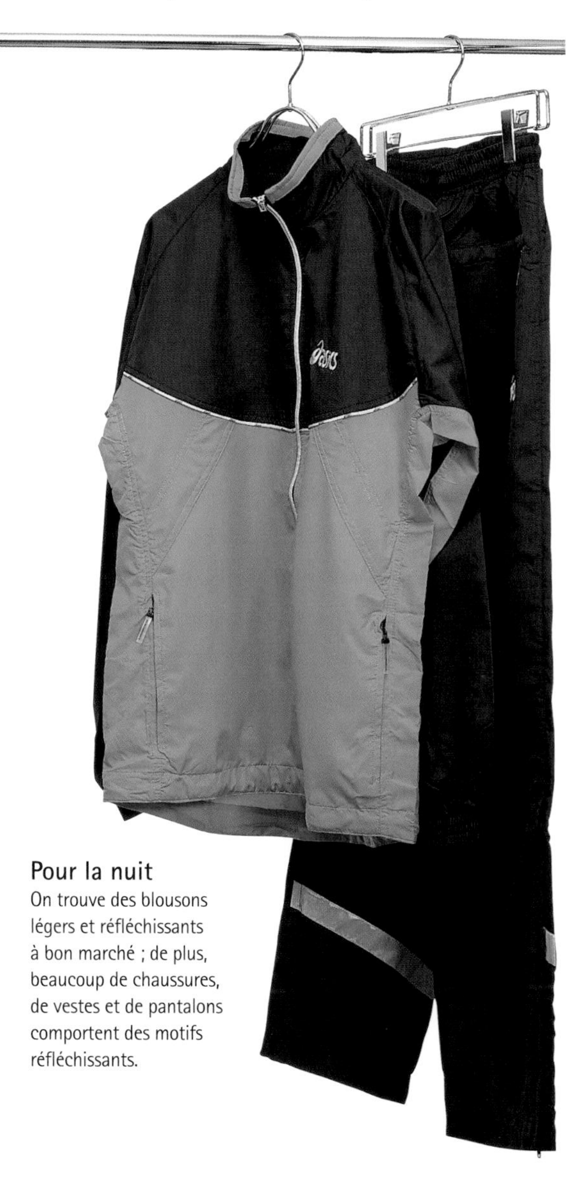

Pour la nuit

On trouve des blousons légers et réfléchissants à bon marché ; de plus, beaucoup de chaussures, de vestes et de pantalons comportent des motifs réfléchissants.

Pour courir à l'aise

1. ÉVITER LE COTON Il prend l'eau et en reste imbibé, ce qui entraîne une sensation désagréable et surtout une diminution de la température corporelle. Choisissez plutôt les fibres synthétiques (comme le polyester) qui, en contact avec l'eau, gardent davantage la chaleur parce qu'elles n'absorbent pas l'humidité. De plus, elles sont souvent conçues pour évacuer la transpiration à l'extérieur du vêtement où elle s'évapore. (Pour plus d'informations sur les T-shirts respirants, voir p. 19).

2. NE PAS TROP SE COUVRIR La recherche du bon équilibre entre avoir trop froid et avoir trop chaud, demande une compétence d'expert, mais sachez qu'il faut avoir un peu froid lorsqu'on sort de chez soi ; les quelques premières minutes de course suffiront à vous réchauffer. Si vous avez chaud dès le départ, vous pouvez être sûr d'avoir trop chaud à un moment donné pendant la course.

3. UTILISER LE PRINCIPE DE SUPERPOSITION DES ÉPAISSEURS Cela signifie qu'il vaut mieux porter deux ou davantage d'épaisseurs plutôt qu'une seule plus épaisse, afin de pouvoir en ajouter ou en ôter en fonction des variations de la température corporelle. La plupart des coureurs n'ont pas besoin de plus de deux épaisseurs, et ils associent souvent un haut respirant à manches longues et une veste légère. Les cols à fermeture éclair facilitent aussi l'aération.

Accessoires utiles

De nombreux articles différents peuvent faciliter l'entraînement, surtout dans le cadre de la préparation aux compétitions. Les montres avec chronomètre permettent de calculer les progrès accomplis d'un footing (ou d'une semaine) à l'autre. Les cardiofréquencemètres sont couramment utilisés pour estimer s'il faut accélérer ou ralentir le rythme en fonction du type de course.

D'autres articles, comme les bonnets et les gants en Thermolactyl, sont particulièrement adaptés à certaines conditions météorologiques. En outre, beaucoup de coureurs, surtout ceux qui participent à des courses, tiennent un carnet d'entraînement, afin de noter les éléments et les étapes clés des préparations précédentes, et de suivre les progrès réalisés.

« Cardiofréquencem.

Un cardiofréquencemètre vous aidera à évaluer votre allure pour une séance spécifique. Certains modèles indiquent seulement la fréquence cardiaque, tandis que d'autres calculent les zones d'entraînement, comptent les calories brûlées, et enregistrent les mesures de fréquence cardiaque.

Compte-tours »

Une montre à affichage numérique qui enregistre les temps par distance est utile pour déterminer les progrès et maîtriser son allure plus facilement. Pendant les compétitions, elle peut signaler si vous respectez vos objectifs tous les kilomètres. La plupart des montres de course permettent la mise en mémoire de 8 à 300 données.

Banane

Ces sacs doivent être stables et bien ajustés à la taille. On peut les utiliser pour transporter des gels, du sucre, etc. Certains sont munis d'un système pour attacher les bouteilles.

Bonnet

En hiver, couvrez-vous la tête avec un bonnet en Thermolactyl pour éviter de prendre froid. D'autre part, si vous courez au soleil en été, portez une casquette légère à visière pour vous protéger des rayons ultraviolets dangereux.

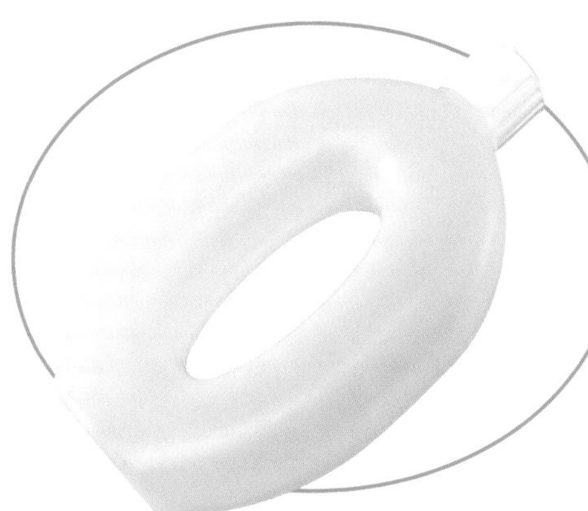

Bouteille d'eau

Si votre entraînement dure plus de 30 min, buvez pendant la course (voir p. 27). Certaines bouteilles, qui ressemblent aux bidons utilisés par les cyclistes, se portent sur une ceinture. Les modèles que l'on garde en main ne doivent pas être trop gros afin de ne pas vous déséquilibrer pendant la course.

Gants

Les gants légers en Thermolactyl peuvent radicalement changer votre perception de la course en hiver, car une grande partie de la chaleur corporelle se perd par les mains. Vous pouvez aussi les enlever pendant un footing pour réguler facilement la température du corps. De nombreux modèles sont disponibles dans des couleurs réfléchissantes.

Types d'aliments

Manger est un plaisir, et il faut que cela reste ainsi. Il suffit de respecter quelques principes élémentaires pour que l'alimentation apporte toute l'énergie et les composantes nécessaires à un style de vie actif et satisfaisant. Vous courrez bien et vous aurez bonne mine, sans avoir besoin de souffrir pour en arriver là. Les pages suivantes vous apprendront à élaborer un régime équilibré qui vous permettra de pratiquer la course à pied efficacement. Examinons les cinq groupes principaux d'aliments.

Types d'aliments

Hydrates de carbone

Les hydrates de carbone (glucides) sont des substances énergétiques. Il en existe deux types : les simples (sucres) et les complexes (surtout les féculents), dont il faut équilibrer l'apport pour être en bonne santé. L'indice glycémique (voir p. 95) d'un aliment indique s'il contient des hydrates de carbone simples ou complexes, et il détermine la vitesse à laquelle l'énergie est libérée dans le corps. Les aliments à indice glycémique élevé (pain, pommes de terre, bananes, raisins secs, glucose, etc.) entraînent une augmentation rapide du taux de glucose dans le sang. Parmi les aliments à indice glycémique moyen, on trouve les pâtes, les nouilles, l'avoine et les oranges. Enfin, les aliments à indice glycémique faible incluent les pommes, les figues, les prunes, les haricots, les produits laitiers et le fructose.

Fruits et légumes

Les fruits et les légumes frais contiennent des substances très nutritives. En manger au moins cinq par jour, fournit suffisamment de vitamines A et C, et augmente l'apport en potassium, fibres et glucides. Les légumes verts regorgent de fer, ce qui est bon pour le sang. Les brocolis, les épinards, les poivrons, les tomates et les carottes sont très bénéfiques.

Protéines

Les protéines aident le corps à développer et à entretenir les muscles, les tendons et les fibres. On en trouve dans la viande et le poisson (qui contiennent aussi le taux le plus élevé d'acides aminés essentiels), mais les protéines végétales sont également importantes : petits pois, haricots, noix, lentilles et céréales peuvent fournir l'apport quotidien recommandé. Chaque jour, mangez deux plats à base de protéines.

Contrôle du poids

Si vous désirez perdre du poids à coup sûr, essayez la stratégie suivante : faites davantage d'exercice et mangez sainement. C'est plus facile à dire qu'à faire, mais presque tous ceux qui se mettent à courir perdent du poids. En outre, manger sainement ne signifie pas qu'il faille réduire la quantité de nourriture, mais juste faire attention à son alimentation.

1 Examinez ce que vous mangez

Éliminez les mauvaises habitudes alimentaires en prévoyant vos repas quotidiens à l'avance. Emportez au travail des en-cas sains, comme des bagels (voir glossaire) et des fruits secs, afin d'éviter le distributeur automatique.

2 Faites de petits changements

Changez votre alimentation progressivement ; remplacez le lait entier par du lait allégé, et un ou deux repas avec viande rouge par des menus végétariens.

3 Mangez peu et souvent

Si vous mangez des en-cas sains toute la journée, vous dépenserez plus de calories et alimenterez mieux votre corps en sources d'énergie qu'en prenant de gros repas.

4 Courez plus

Chaque mile (1,6 km) que vous courez brûle environ 100 calories, quelle que soit votre vitesse. Développez votre condition physique progressivement, et si vous courez déjà au maximum de vos capacités, pensez à ajouter une autre activité dans votre routine.

5 Faites plus d'effort

Vous brûlerez davantage de calories en augmentant l'intensité des footings. Une fois que vous serez un coureur régulier, intégrez dans votre routine des séances de vitesse, de côte ou de course à allure vive.

Souvenez-vous que le principe de déficit calorique marche mieux avec modération. Par exemple, si vous dépensez chaque jour 500 calories de plus que vous en consommez, cela permet une perte de poids stable et sans danger d'environ 500 g par semaine. Si vous approchez ou dépassez un déficit de 1 000 calories par jour, votre corps déclenchera des mécanismes de défense destinés à retenir le plus de poids possible. Vous aurez également souvent faim, deviendrez léthargique et probablement irritable.

Lipides

Les lipides sont essentiels pour garantir un fonctionnement cellulaire correct, protéger les organes internes et transporter les vitamines liposolubles A, D, E et K. La plupart d'entre nous mangent un peu trop de graisses, mais si vous en réduisez sévèrement l'apport, vous risquez de vous faire du mal.

Lait et produits laitiers

Les produits laitiers aident à entretenir la solidité des os, parce qu'ils contiennent beaucoup de calcium, et aussi des protéines et de la riboflavine, utilisées dans le métabolisme. Tous les coureurs ont besoin de calcium, surtout les femmes de moins de 20 ans et de plus de 50 ans, qui doivent en manger quatre fois par jour (petit yaourt allégé, trois tranches de fromage ou petit verre de lait). Le poisson en conserve et le brocoli sont également riches en calcium.

Réserves énergétiques

Manger

Quand on court, le corps tire de l'énergie du glycogène musculaire (hydrates de carbone transformés et stockés), facilement disponible, et des réserves de graisse, moins accessibles. Il faut veiller à ce que nos taux de glycogène soient élevés avant, pendant et après la course.

Avant la course

Certains peuvent courir moins de 30 min après avoir mangé, tandis que d'autres doivent se priver de nourriture pendant des heures avant de pouvoir s'exercer confortablement. Il n'est pas indispensable de manger avant un footing de moins d'une heure, mais une séance plus longue demande un peu de préparation (prenez un bagel et un jus de fruits pour apporter une petite quantité d'énergie facilement disponible). Évitez les aliments trop riches en graisses et en protéines, difficiles à digérer.

Pendant la course

Il peut valoir la peine de se ravitailler en énergie lors de footings de plus de 45 min, et entre les répétitions des séances courtes et intenses de vitesse. Il est indispensable de ménager son estomac, et donc d'éviter les aliments solides, à l'exception peut-être de ceux que vous préférez, à condition qu'ils soient faciles à digérer, comme les barres pour les sportifs. Essayez aussi les gels ou les boissons pour sportifs (voir p. 31).

Après la course

Manger 30-60 min après un footing vous aidera à réduire au minimum les courbatures et les douleurs, surtout après un effort. La recherche a montré que le meilleur moyen de récupérer consiste à boire et à prendre un repas riche en hydrates de carbone avec un peu moins de 30 % de protéines. Il existe dans le commerce des boissons et des barres spéciales récupération, mais une banane et un bol de céréales avec du lait allégé feront très bien l'affaire.

Boire

Les coureurs ne boivent pas assez. Le corps a besoin d'eau dans presque toutes ses fonctions, y compris la libération d'énergie et la régulation de la température ; si vous ne buvez pas suffisamment, ne vous demandez pas pourquoi vous trouvez l'entraînement et la course si difficiles. Même les jours de repos, efforcez-vous de boire au moins huit verres d'eau. Il faudra en boire plus pendant la course. Lorsqu'il fait très chaud, le corps peut perdre presque 2,5 litres d'eau en une heure avec la transpiration, ce qui suffit à diminuer la performance considérablement.

Avant la course

Il est nécessaire d'être bien hydraté avant de courir. Cela ne signifie pas qu'il faille prendre un verre d'eau en vitesse juste avant, mais boire de petites quantités tout au long de la journée, et surtout l'après-midi et le soir précédant un long footing ou une course qui aura lieu le matin. Pensez à boire un demi-litre d'eau une demi-heure avant l'entraînement.

Pendant la course

Normalement, il n'est pas besoin de boire pendant un footing de moins d'une heure, mais les jours de grande chaleur, il peut être très dangereux de ne pas se désaltérer plus régulièrement. Buvez souvent et à petites gorgées plutôt que d'avaler une grande quantité d'un trait. Lorsque vous courez longtemps, vous ne prendrez pas de risques si vous buvez un peu toutes les 15-20 min.

Après la course

Pour rétablir l'équilibre liquidien du corps, l'apport d'eau doit être deux fois supérieur à la perte par transpiration. Prenez l'habitude de boire plus qu'à la normale pendant au moins les deux ou trois heures après la course, et privilégiez l'eau ou les boissons pour sportifs qui contiennent du sodium et peu d'hydrates de carbone. Déterminez précisément la quantité de liquide que vous avez perdue en vous pesant avant et après la course (1 kg = 1 litre). Votre urine sera pâle lorsque vous aurez suffisamment bu.

Une alimentation équilibrée

Pour rester dynamique et en bonne santé, le corps d'un coureur a besoin d'une certaine combinaison d'hydrates de carbone, de protéines et de lipides.
Le tableau ci-dessous montre comment parvenir à un équilibre avec des exemples d'aliments idéaux. N'oubliez surtout pas que les pourcentages se rapportent aux calories, pas au poids. En effet, 30 g de graisses contiennent plus de deux fois plus de calories que 30 g d'hydrates de carbone ou de protéines. Pour perdre du poids, il vous suffit de dépenser plus de calories que vous en consommez.

Moins de matières grasses ou moins de calories ?

Pourquoi est-il donc si important de savoir si les calories que nous consommons proviennent d'hydrates

Pourquoi n'est-il pas possible d'être plus spécifique au sujet du nombre de grammes d'hydrates de carbone, de protéines et de lipides dont le corps a besoin chaque jour ? Parce que l'apport énergétique quotidien dépend de nombreux facteurs, parmi lesquels le métabolisme, le niveau d'exercice, le sexe, et le poids (voir « Besoins énergétiques », extrême droite).

BESOINS	ALIMENTS
Hydrates de carbone	
60-70 % Chaque jour, environ 4-6 g par kg de masse corporelle.	Pâtes, riz, pommes de terre, avoine, bananes, raisins secs, figues, prunes
Protéines	
15 % Chaque jour, environ 1-1,5 g par kg de masse corporelle.	Viande, poisson ou fruits de mer, produits laitiers, noix, petits pois, haricots et lentilles
Lipides	
15-25 % (40 % mono-insaturés, 40 % poly-insaturés, 20 % saturés) Chaque jour, environ 0,4-1,1 g par kg de masse corporelle.	Corps gras, huiles, beurre, cacahuètes, avocats et produits laitiers comme le lait entier et les yaourts non allégés

Les experts conseillent aux sportifs de manger environ 60 g d'hydrates de carbone toutes les heures pendant les longues courses.

de carbone ou de lipides ? C'est en partie à cause du mauvais cholestérol que l'on trouve dans de nombreuses graisses, mais aussi parce qu'un excès de graisse alimentaire se transforme très facilement en graisse corporelle.

Par contre, 25 % des calories d'un excès d'hydrates de carbone sont brûlées dans le processus de transformation. Malheureusement, cela ne signifie pas que l'on puisse manger des produits allégés à volonté, car les autres 75 % devront être stockés.

BESOINS ÉNERGÉTIQUES

Vous pouvez calculer vos besoins énergétiques quotidiens comme suit :

1 Métabolisme basal

Il s'agit du nombre de calories utilisées par le corps au repos.

HOMMES :
24 calories par kg de masse corporelle

FEMMES :
22 calories par kg de masse corporelle

2 Style de vie

Ajoutez 30-40 % pour un travail sédentaire.
Ajoutez 50-60 % pour un travail dynamique.

3 Exercice

Ajoutez 100 calories pour chaque mile (1,6 km) couru.

Par exemple, le métabolisme basal d'un homme pesant 68 kg sera d'environ :

1 632 calories (24 x 68)

Il ajoutera 30 % s'il exerce une profession très sédentaire (490 calories) et 500 calories s'il court 8 km par jour.
Sa ration énergétique journalière sera approximativement de :

2 622 calories

Ces chiffres ne sont fournis qu'à titre indicatif.
Votre métabolisme basal et la capacité de votre corps à extraire les calories des aliments constituent des facteurs très personnels.

Alimentation pour le marathon

Une alimentation correcte représente la touche finale à une bonne préparation pour le marathon. Voici tout ce qu'il faut savoir :

Les jours avant la course

Avant, les coureurs se privaient d'hydrates de carbone pendant la semaine qui précédait un marathon, puis ils s'en gavaient les tout derniers jours avant l'épreuve, dans l'espoir d'augmenter au maximum leurs réserves de glycogène musculaire. Cependant, les spécialistes du sport conseillent aujourd'hui une alimentation équilibrée comprenant jusqu'à 70 % d'hydrates de carbone la dernière semaine avant le marathon.
Il n'est pas nécessaire de manger plus que d'habitude : à mesure que l'entraînement diminue, vous accumulerez automatiquement un surplus d'énergie.

La veille au soir du marathon

Des pâtes à la sauce tomate constituent un repas riche en hydrates de carbone, pauvre en matières grasses et moyennement protéiné. Il s'agit d'un choix classique et efficace. Ne mangez cependant pas au point d'éprouver une sensation de gêne : 800 à 1 000 calories suffisent amplement. Buvez abondamment, surtout l'avant-veille.

Le matin de la course

Buvez 500 ml d'eau au saut du lit, puis régulièrement et à petites gorgées pendant toute la journée de la course. Prenez un petit-déjeuner, même si vous devez vous lever très tôt pour avoir le temps de le digérer. Concoctez un repas pauvre en matières grasses, dont vous aurez

Ne pas oublier

La déshydratation est l'une des principales raisons pour lesquelles les marathoniens rencontrent « le mur » (épuisement total). Par conséquent, continuez à boire, même avant d'avoir soif.

EN-CAS POUR LA JOURNÉE

- Abricots secs
- Fruits frais
- Pop-corn salé sans matière grasse
- Biscuits diététiques aux figues
- Barre chocolatée (mais juste une...)
- Bretzels

déjà testé l'efficacité avant de longs footings. Le muesli, les flocons d'avoine, les toasts et les bagels sont des aliments idéaux pour se préparer à la course.

Pendant la course

Fixez-vous comme but de consommer 600 calories pendant la course afin d'éviter ce que les coureurs appellent communément « le mur » (épuisement complet). Les boissons et les gels énergétiques sont parfaits (voir ci-dessous). Il est également très important de boire régulièrement pour éviter la déshydratation et l'épuisement.

Après la course

Reconstituez vos réserves énergétiques le plus vite possible afin de récupérer rapidement et avec le minimum de douleurs (voir p. 26-27 pour des conseils).

EXEMPLES POUR LA SEMAINE DU MARATHON

Petit-déjeuner

Bagel avec du miel
Jus d'orange ou smoothie aux fruits (voir glossaire)
Lait allégé avec quelques céréales

Porridge avec des raisins secs et du miel
Jus d'orange ou smoothie aux fruits

Déjeuner

Pommes de terre au four avec des haricots blancs à la sauce tomate épicée et un peu de fromage râpé
Salade de fruits frais

Sandwich poulet, salade et poivron rouge
Demi-melon

Dîner

Entrée : soupe de légumes et petit pain

Plat : grosse tranche de poisson avec sauce légère au vin blanc, épinards et pommes de terre nouvelles

Dessert : mousse de fromage frais, citron et fruits secs trempés

Entrée : saumon fumé et citron

Plat : pâtes complètes avec anchois, tomates séchées au soleil et un peu d'huile d'olive ; pain frais

Dessert : yaourt glacé

BARRES, GELS ET BOISSONS ÉNERGÉTIQUES

Dans la plupart des magasins de sport, on trouve une gamme de produits énergétiques destinés aux coureurs. Ils sont pratiques, mais en avez-vous besoin ? Voici ce qu'il faut savoir sur les boissons, les gels et les barres énergétiques.

Boissons énergétiques

Généralement isotoniques (faciles à digérer), elles contiennent souvent du sodium pour accélérer la réhydratation. Les boissons à base d'hydrates de carbone complexes (comme la maltodextrine) peuvent être diluées. Très concentrées, elles constituent un bon en-cas avant la course et pendant les longs footings. Vous pouvez en préparer vous-même en ajoutant une pincée de sel dans du jus de fruits dilué.

Gels énergétiques

Les gels sirupeux, solutions concentrées d'hydrates de carbone, ne sont pas destinés à être mâchés. En dépit de leur petite taille, ils donnent beaucoup d'énergie. Ils sont très pratiques pendant les longs footings ou courses, mais il faut avoir de l'eau à portée de main pour les diluer, sans quoi ils sont presque tous indigestes.

Barres énergétiques

Elles sont très pratiques, bien qu'un peu plus riches que les délicieux en-cas allégés, mais comme tous les aliments solides, il vaut mieux ne pas en manger pendant la course. Celles qui contiennent des protéines, des vitamines et des minéraux, facilitent la récupération, mais évitez toutes celles dont la teneur en protéines dépasse 30 %.

Échauffement – retour au calme 1

Terminez une séance difficile en courant lentement, afin de faciliter la récupération musculaire et de réduire les risques de blessure.

Commencez votre footing lentement pour allonger et préparer progressivement vos muscles à l'effort exigé, et limiter ainsi le plus possible les risques de blessure. Courez très doucement pendant 5-10 min avant de passer graduellement à votre allure normale, et faites quelques étirements si vous avez prévu de travailler la vitesse. Si vous courez au saut du lit, il est préférable de marcher quelques minutes, avant même de courir à petites foulées, car l'amplitude de mouvements d'un corps froid est très limitée. À la fin d'un footing à vive allure, courez doucement pendant cinq minutes, afin de réduire les douleurs qui surviennent après l'effort. Et ne terminez pas votre séance en rentrant chez vous en sprintant, sinon des déchets de l'organisme, comme l'acide lactique, s'accumuleront dans vos muscles.

Étirements

Des muscles tendus sont davantage sujets aux déchirures que des muscles souples ; c'est pourquoi il faut penser à s'étirer régulièrement pour prévenir les blessures. Pour rester souple, suivez ce programme composé de huit étirements.

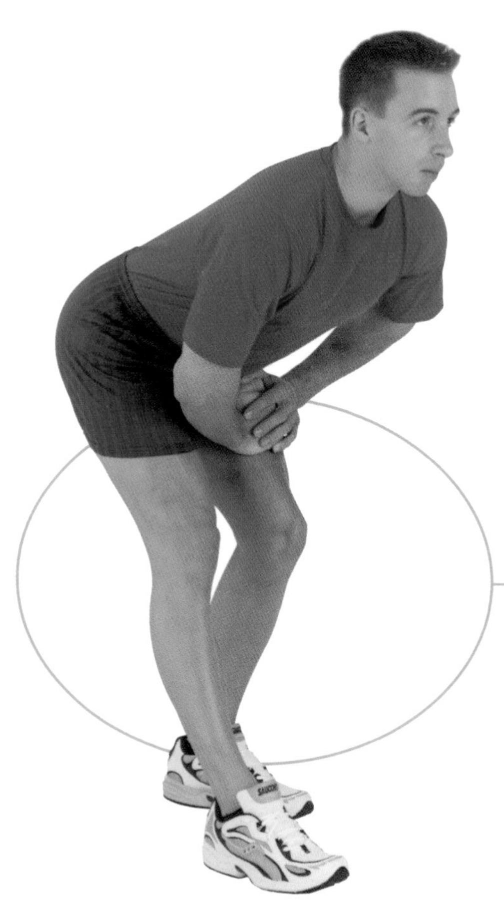

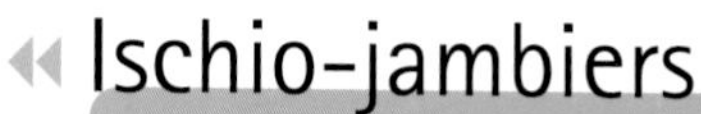

« Ischio-jambiers

Gardez une jambe tendue, fléchissez la jambe d'appui au niveau du genou et posez les deux mains sur la cuisse pour soutenir le poids du corps. Ensuite, penchez-vous droit en avant à partir des hanches, sans arrondir le dos, pour étirer les ischio-jambiers de la jambe tendue.

Fessiers

Asseyez-vous au sol. Amenez la cheville de la jambe droite derrière le genou gauche en maintenant la jambe en position avec la main gauche. Gardez la main droite fermement au sol pour l'équilibre. Vous sentirez un étirement sur le côté des fessiers. Recommencez de l'autre côté.

Mollet (haut)

Gardez la jambe droite tendue, en appuyant le talon au sol vers l'arrière. Penchez-vous en avant et soutenez le poids du corps sur la jambe gauche. Redressez-vous doucement à partir des hanches pour étirer le mollet de la jambe tendue. Répétez de l'autre côté.

Adducteurs

Maintenez les plantes des pieds l'une contre l'autre et amenez les genoux vers le sol en sollicitant doucement les muscles des jambes. Pour intensifier l'étirement, gardez le dos droit et placez les pieds plus près du corps.

Échauffement – retour au calme 2

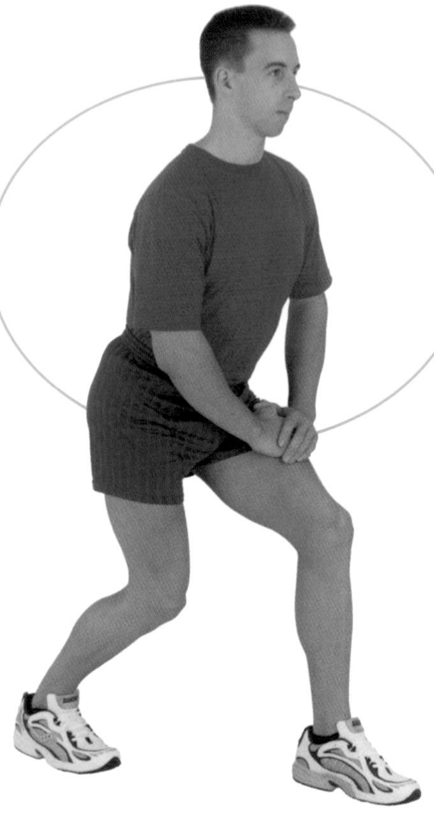

Mollet (bas)

Pour étirer la partie inférieure du mollet, fléchissez une jambe, en gardant le pied à plat sur le sol.

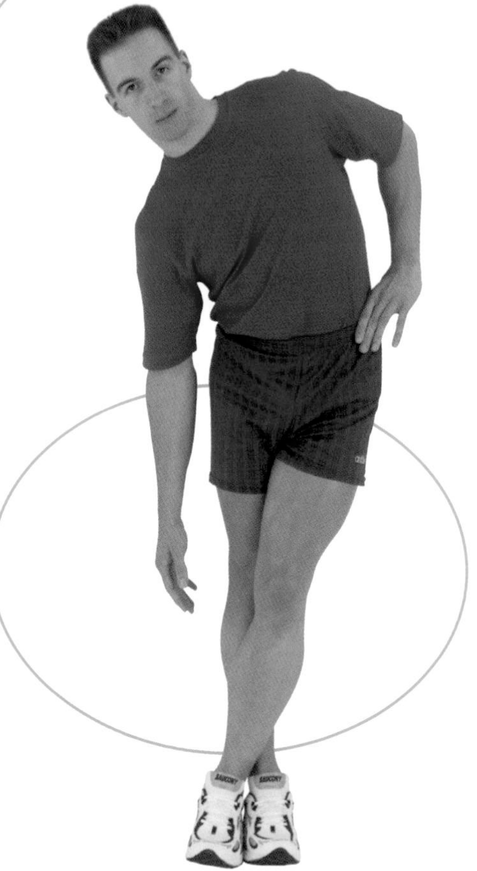

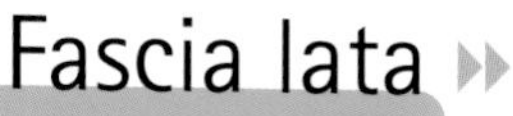

Fascia lata

Croisez les pieds, en les maintenant à plat sur le sol. Inclinez les hanches à l'opposé du pied arrière, en gardant les deux jambes droites. L'étirement doit se faire sentir le long de la partie externe de la jambe et autour de la hanche.

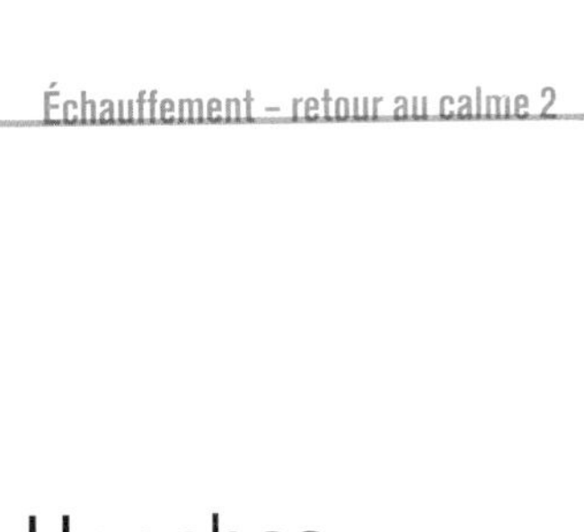

Hanches

Placez un genou en avant et allongez l'autre jambe en arrière. Appuyez les mains sur le genou en gardant les hanches perpendiculaires et le buste vertical. Ne vous penchez pas en avant, afin de ne pas limiter l'étirement.

Quadriceps

En équilibre sur une jambe, tirez l'autre pied derrière le corps. Gardez le corps droit pour maximiser l'étirement le long de la partie avant de la cuisse.

Repos

Le corps a besoin de repos pour se renforcer ; si vous négligez ce principe évident, vous vous exposez à de sérieux risques de blessures et de maladies. Les débutants commenceront par courir un jour sur deux, pas davantage. Les coureurs expérimentés devront se reposer au moins un jour par semaine, s'entraîner sans forcer une semaine par mois et, dans l'idéal, un mois par an. De plus, ne planifiez pas des séances difficiles deux jours d'affilée ; même si vous vous sentez bien le lendemain d'un footing rapide ou long, votre corps n'aura pas fini de récupérer.

Prévention des blessures

Les coureurs de très haut niveau savent gérer les sensations de gêne. Ils sont également suffisamment expérimentés pour savoir qu'il faut s'arrêter dès qu'on ressent la moindre douleur, signe d'une blessure éventuelle. Il faut parfois des années pour faire la différence entre un trouble physique passager et une blessure, mais dans le deuxième cas, le fait de réagir aussitôt, en diminuant l'intensité des efforts pendant quelques jours, permet de récupérer rapidement et d'éviter des semaines de repos complet et de soins médicaux. Contrairement aux sensations de gêne, les douleurs graves ont tendance à être localisées et inhabituelles.

Premiers soins aux blessures :

Repos

Limitez le plus possible les mouvements de la région blessée, et soumettez-la au minimum de tension. Il suffit de se reposer deux ou trois jours pour se rétablir de nombreuses blessures bénignes.

Glace

Elle réduit les dommages dus au gonflement qui accompagne les foulures et les déchirures. Enveloppez un sac à glaçons (ou de petits pois surgelés) dans un linge humide et appliquez-le fermement à l'endroit de la blessure 15 min toutes les heures, ou le plus souvent possible pendant la journée. Les médicaments anti-inflammatoires non-stéroïdiens, comme l'ibuprofen, soulagent également.

Compression

L'application d'un bandage légèrement élastique contribue à réduire le développement du gonflement, mais ne le serrez pas trop afin de ne pas restreindre la circulation du sang.

Élévation

Maintenir les jambes levées réduit la circulation sanguine, ce qui aide à limiter les dommages tissulaires dans les premières phases d'une blessure.

Se soigner

Lorsqu'une douleur survient pendant un footing, arrêtez-vous, étirez-vous doucement et marchez. Si la douleur disparaît, essayez de recourir, à petites foulées, et reprenez progressivement votre allure normale. Dans le cas contraire, abrégez votre footing et rentrez directement chez vous pour appliquer le traitement préconisé (voir à gauche), qui constitue les premiers soins efficaces dans la plupart des douleurs et des entorses. Si la douleur persiste plus de deux jours, allez voir un médecin.

Tendon d'Achille

Les spécialistes du sport ont montré l'effet curatif des suppléments de glucosamine chez de nombreux individus souffrant de douleurs au tendon d'Achille.

Petit guide des soins pour cinq blessures fréquentes

Blessure	Cause	Traitement
1 Douleur au tendon d'Achille	Souvent due à une trop grande augmentation de l'allure ou du kilométrage, à l'usure des chaussures, ou à une pronation excessive (voir pages 14 et 95).	La glace et le repos sont efficaces ; une fois le gonflement disparu, étirez doucement la partie inférieure du mollet et la cheville, et faites-vous masser.
2 Douleur aux ischio-jambiers	Les douleurs aux ischio-jambiers sont souvent provoquées par une augmentation soudaine ou excessive de l'allure ou du kilométrage.	Le repos, la course à pied sans forcer et le massage sont les meilleures solutions à la plupart des déchirures des ischio-jambiers. Évitez le travail en côte et la vitesse, appliquez de la glace sur la blessure et étirez-vous régulièrement.
3 Douleur aux genoux	Ces douleurs peuvent être dues à un problème au genou ou autre partie. Vérifiez qu'une raideur musculaire n'en est pas à l'origine.	Étirez le tenseur du fascia lata, les fessiers et les quadriceps et mobilisez le bas du dos. Vérifiez que le degré de stabilité de vos chaussures répond bien à vos besoins.
4 Périostite tibiale	Inflammation douloureuse le long du tibia ; provoquée par une pronation excessive, une augmentation de l'allure, et les surfaces dures.	Le traitement préconisé page 36 soulagera la douleur. Il est important d'étirer et d'allonger les tibias, les chevilles et les mollets. Évitez de courir sur des surfaces dures.
5 Fasciculations plantaires	Dommage au ligament épais qui relie le talon à la base des orteils ; se manifeste par une douleur à la base du talon.	Étirez les mollets et les tendons d'Achille. Tendez aussi les orteils vers le haut et déplacez le poids du corps vers l'extérieur du pied pendant l'étirement. Un médecin du sport peut soulager la douleur avec un massage ou un traitement aux ultrasons.

39

Entraînement multisport

Compléter la pratique de la course à pied avec d'autres activités aérobies (cyclisme, natation, aviron, etc.) constitue une excellente manière de développer sa condition physique en réduisant au minimum les risques de blessure. L'entraînement de la force et de la souplesse, comme la musculation et le yoga, présente également beaucoup d'intérêt. Chacune de ces activités de maintien de la forme vous permettra d'améliorer votre pratique de la course à pied. Dans une certaine mesure, certains entraîneurs affirment qu'il faut courir davantage pour progresser, mais la plupart des coureurs tireront profit d'un kilométrage relativement faible, à condition de travailler efficacement et de substituer chaque semaine un entraînement multisport de qualité à un ou deux footings faciles. Certaines séances de course, comme celles de vitesse ou d'endurance, ne peuvent pas être remplacées.

Natation

La natation est une excellente activité pour tonifier la quasi-totalité du corps, stimuler le système cardio-vasculaire et apprendre à contrôler sa respiration.

Dix moyens d'éviter les blessures

1 Ne pas étirer de muscles froids

2 Porter de bonnes chaussures de course

3 Courir sur des surfaces douces

4 Commencer doucement

5 Augmenter progressivement le kilométrage et la vitesse

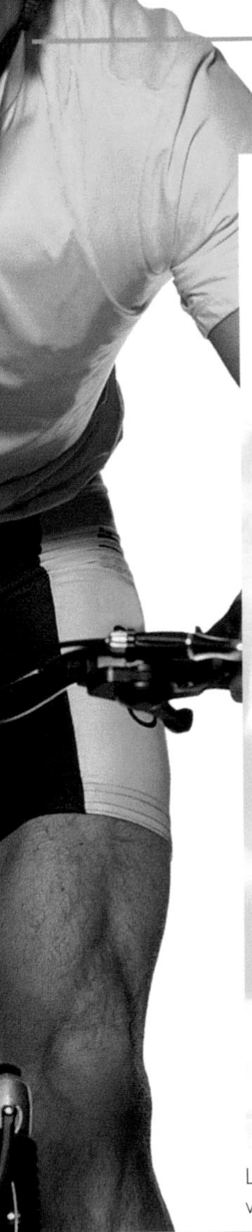

Pour surmonter les blessures ▸▸

Claquage des ischio-jambiers

Aviron. Quelques séances d'aviron sans forcer permettront d'étendre les jambes et d'étirer doucement la zone blessée. Augmentez progressivement la puissance pour tonifier les ischio-jambiers et prévenir de futures blessures dans cette région.

Tendon d'Achille

Cyclisme. Il s'agit d'une excellente activité pour étirer et renforcer les tendons d'Achille sans leur faire subir de chocs ni de torsions.

Appareil elliptique. L'entraînement sur ce type de machine, efficace pour la rééducation après une blessure, n'implique pas de chocs articulaires. Les appareils elliptiques permettent de courir d'un mouvement continu à mi-chemin entre le ski de fond et la montée d'un escalier.

Syndrome fémoro-patellaire

Marche rapide. La marche à pied redresse les jambes, contrairement aux activités effectuées en fléchissant les genoux (comme le cyclisme), lesquelles risquent de faire empirer les choses. La pratique de l'aviron et le travail sur un appareil elliptique peuvent également faire du bien.

Périostite tibiale

Cyclisme. Le cyclisme soulage les douleurs au tibia, du fait qu'il n'exerce pas de pression sur l'avant de la jambe. Essayez aussi le ski de fond et le travail sur un appareil elliptique.

Fasciculations plantaires

Cyclisme. Pédaler peut aussi aider à réduire la tension sur le dessous du pied, bien que cela puisse être un peu douloureux au début. Essayez aussi l'aviron et l'entraînement sur une machine elliptique.

Le cyclisme est un bon exercice cardio-vasculaire qui aide à tonifier les jambes et à augmenter votre endurance.

6	7	8	9	10
Ne pas enchaîner deux jours de travail dur à la suite	Ne pas négliger la douleur	Traiter la douleur immédiatement	Après une maladie ou une blessure, prudence	Intégrer un entraînement multisport

Motivation

Certains jours, on préférerait faire tout autre chose que d'aller courir. Les conseils suivants vous encourageront à sortir vous entraîner.

Pensez au temps consacré à courir comme à un investissement dans les domaines de la santé, de la détente et de l'épanouissement. Votre condition physique s'améliorera et vous atteindrez sans cesse de nouveaux objectifs, ce qui vous encouragera à poursuivre vos efforts.

Objectifs stimulants

Il est indispensable de se fixer des objectifs réalistes.
Si vous préparez votre première compétition, fixez-vous comme seul but de la terminer à une allure aussi régulière et dynamique que possible.
Si vous avez 47 ans et que vous courez sérieusement depuis 20 ans, n'escomptez pas établir un nouveau record personnel cette année, mais essayez plutôt de battre des participants de votre tranche d'âge.
Enfin, si vous débutez, ne choisissez pas un marathon comme premier objectif.

Objectifs actuels et futurs

Pour entretenir notre motivation, nous avons tous besoin d'objectifs à long et à court terme.
Les premiers donnent une direction et les seconds apportent des satisfactions régulières qui témoignent des progrès réalisés.
Ceux à long terme seront basés sur les raisons profondes de votre pratique de la course à pied (retrouver la forme, perdre du poids, courir le marathon, etc.). Ceux à court terme devront être plus spécifiques : perdre deux kilos en quatre semaines, préparer un 10 km, etc.
Un objectif à long terme réaliste consiste, par exemple, à courir le marathon dans un an, à perdre 9 kg, ou à améliorer sensiblement la santé, la forme physique et un sentiment général de bien-être.

Les dix meilleures façons de rester motivé

1

Courir sans contrainte pendant une semaine
Chaque jour, contentez-vous de courir sans forcer.

2

... ou arrêter une semaine !
Très efficace si vous courez régulièrement. Vous aurez vite envie de vous y remettre.

3

Afficher un tableau sur la porte de la cuisine
Cochez une colonne à chaque fois que vous vous sentez mieux après une séance.

4

Trouver un(e) partenaire de course
Courir avec un(e) partenaire vous encouragera à suivre votre programme d'entraînement.

5

Se fixer un objectif
Qu'il s'agisse de perdre 5 kg ou de battre un record cela augmente la motivation.

Motivation du débutant

Si vous commencez la course à pied, les tout premiers mois vous donneront des satisfactions incroyables. Votre forme aérobie s'améliorera de façon spectaculaire, vous perdrez votre excès de graisse, et votre corps se raffermira. Vous développerez progressivement votre forme physique, ce qui vous permettra de vous sentir mieux toute la journée, et d'accroître un sentiment de bien-être. Il se peut que vous trouviez ces propos exagérés, mais l'expérience de milliers de coureurs montre que la course à pied améliore vraiment la santé. Lorsqu'il fait froid et humide et que l'idée d'aller courir vous rebute, pensez aux bienfaits que vous en tirerez. Souvenez-vous qu'il s'agit d'un investissement qui rendra votre semaine plus productive.

BANNIR LES PENSÉES NÉGATIVES

La course à pied fortifie à la fois le corps et l'esprit, mais si vous commencez à vous mettre dans la tête que vous n'êtes pas fait pour ce sport, voici comment écarter rapidement ces pensées négatives :

Je suis plus lent que d'habitude... Certains jours, on se sent lourd, lent et essoufflé, sans raison apparente. Dans ce cas, tirez le meilleur parti possible de votre footing, à l'allure qui vous convient, quelle qu'elle soit, et ne vous basez pas sur une courte période pour déterminer le type de coureur que vous êtes.

Je ne suis pas doué pour la course à pied Essayez de courir en vous grandissant ; vous aurez tout de suite une plus grande impression d'aisance et de rapidité. Redressez la colonne vertébrale, élargissez-vous au niveau des clavicules en abaissant les épaules vers l'arrière, et imaginez qu'une ficelle attachée sous votre nombril vous tire doucement vers l'avant et vers le haut.

Ce footing n'en finira jamais Divisez vos footings en intervalles de 10 min, ou en tours de parc. Effectuez chaque intervalle avec le maximum de concentration (il s'agit aussi d'un bon exercice mental pour les compétitions). Vous serez surpris de la vitesse à laquelle le temps passera.

6

Éviter les comparaisons Si vous tenez à vous comparer à quelqu'un, faites-le avec une personne qui ne court pas.

7

Maintenir la variété La diversité est le sel de la vie. Essayez donc un peu d'entraînement multisport (voir p. 38-39).

8

Le secours d'une compétition Voir d'autres personnes accomplir quelque chose vous rappellera les bienfaits de la course à pied.

9

Acheter un nouvel équipement Cela vous aidera à courir avec davantage de détermination.

10

Adhérer à un club Être encouragé ou encourager les autres donne un regain d'enthousiasme.

2

Programmes d'entraînement

Pour apprécier la course à pied et faire des progrès, il est indispensable de suivre un programme, sans toutefois devoir se conformer à un modèle strict ni observer scrupuleusement une multitude de règles et d'instructions. Il s'agit d'établir un cadre de travail et des objectifs à atteindre. Si vous pensez qu'il suffit de courir jusqu'à éprouver une sensation de fatigue, vous risquez fort d'abandonner. Par contre, si vous définissez un plan de base, vous resterez motivé et réaliserez vos objectifs plus facilement.

Les programmes d'entraînement proposés dans ce chapitre, répartis en six niveaux d'aptitude, vous aideront à progresser et à atteindre vos objectifs en toute sécurité. Nous examinerons également les principes élémentaires de la course à pied, qui s'adressent à tous les adeptes de ce sport, qu'ils suivent ou non un programme.

Les quatre règles d'or

1 Progresser lentement

Pour éviter les blessures et faciliter les progrès à long terme, résistez à la tentation d'augmenter trop vite l'allure et le kilométrage. D'une semaine à l'autre, n'ajoutez pas plus de 5 à 6 km à votre distance hebdomadaire, moins si vous débutez complètement la course. Après avoir établi une base de course à faible intensité, passez progressivement au travail de la vitesse. Évitez d'augmenter simultanément la vitesse et le kilométrage.

2 Prendre des jours de repos

Votre corps a besoin de temps pour récupérer. En fait, le développement de la condition physique se produit davantage après l'effort ; c'est la raison pour laquelle toute séance consacrée à la vitesse ou à l'endurance doit être suivie d'un jour de repos ou d'entraînement sans forcer.

3 Échauffement et retour au calme

Avant de courir, échauffez-vous pour allonger et détendre les muscles, les articulations, les ligaments et les tendons. Terminez chaque footing en courant à petites foulées, puis faites des étirements.

4 Prévention des blessures

Les dommages corporels ne peuvent qu'empirer lorsqu'on n'y prête pas attention. En cas de douleur persistante, reposez-vous et appliquez de la glace sur la zone endolorie ; ensuite, allez consulter votre médecin, un spécialiste ou un bon entraîneur, et faites tout votre possible pour vous rétablir. Plus le traitement sera commencé tôt plus la guérison sera accélérée.

Pour tirer profit de la course à pied, que vous suiviez ou non un programme, il est nécessaire de respecter quatre principes d'entraînement fondamentaux.

Chaque footing comporte un objectif. Par exemple, si votre programme exige un jour de récupération, l'objectif consiste à courir seulement à une allure permettant de maintenir une conversation. Ainsi, vous récupérerez complètement, et vous aurez hâte d'effectuer la séance suivante. Inversement, si vous travaillez la vitesse, vous devez terminer la séance avec la sensation d'avoir fourni un effort vraiment fatigant.

Il est très important de se ménager (pour plus d'informations, voir p. 10-11 sur les surfaces de course, p. 32-35 sur l'échauffement, et p. 36-37 sur le diagnostic et la prévention les blessures). Ces principes vous aideront à pratiquer la course à pied toute votre vie, et à en tirer une immense satisfaction.

Séances d'entraînement

La plupart des programmes incluent aussi un large éventail de séances, dont certaines, moins évidentes que d'autres, demandent des explications. La diversité joue un rôle essentiel pour entretenir la motivation et améliorer la force et l'endurance.

Séances d'entraînement

Courses à vive allure

Ces footings, dont l'allure équivaut à environ celle d'un semi-marathon pour les coureurs expérimentés, durent généralement entre 20 et 40 min, et il est possible de les diviser en segments rapides et lents. Ils permettent d'apprendre à courir vite plus longtemps.

Intervalles de vitesse

Répétitions rapides entrecoupées de périodes de repos ; par exemple, 4 x 800 m avec des récupérations de deux minutes. Cet entraînement améliore la force, la vitesse et la forme, et il n'est pas nécessaire d'être un coureur « rapide » pour l'effectuer !

Endurance

Les footings longs à allure lente, qui développent l'endurance, conviennent mieux le week-end ou un jour où vous ne travaillez pas. Ils peuvent durer entre une et trois heures, selon les objectifs. Le temps passé à courir compte plus que la vitesse.

Course en côte

Il s'agit de répéter la séquence suivante : monter une côte en fournissant beaucoup d'efforts et courir à petites foulées dans la descente. Vous pouvez varier à l'infini la distance et le degré de déclivité. Une séance classique consiste, par exemple, à courir en côte raide pendant une minute, entre 8 et 12 fois.

Fartlek

Signifie « jeu de vitesse » en suédois. Forme libre de travail de la vitesse, qui consiste à accélérer à des intervalles non prévus à l'avance pendant un footing normal.

Présentation des niveaux d'entraînement

Les programmes de cette partie sont divisés en six niveaux d'intensité, à utiliser individuellement ou les uns à la suite des autres. Chaque niveau augmente en kilométrage et en intensité par rapport au précédent.

L'objectif du premier niveau, destiné aux débutants, est de parvenir à courir 30 min sans interruption. Tous les autres niveaux comportent un programme de forme physique, et un ou plusieurs programmes de compétition.

1 Niveau débutant

pages 52–55

Pour grands débutants
Comporte quatre jours de course et de marche par semaine.

Le but de ce niveau est de vous permettre de courir :

- 30 min sans interruption.

Ce programme très souple dure environ 10 semaines.

2 Niveau débutant

pages 56–59

Pour coureurs relativement novices
Destiné à ceux qui peuvent courir 30 min sans interruption, trois à quatre jours par semaine.

Ce programme s'utilise pour :

- Préparer une course de 5 km (programme de 8 semaines)
- Préparer des courses plus longues et effectuer un entraînement physique général (programme de 3 à 4 semaines, renouvelable).

3 Niveau reprise

pages 60–63

Pour anciens coureurs
Destiné à ceux qui peuvent courir 25-50 km en quatre à cinq fois dans la semaine.

Ce programme s'utilise pour :

- Améliorer la forme physique (programme de 3 à 4 semaines, renouvelable).
- Préparer des courses de 10 km (programme de 8 semaines).

Mise en garde

N'oubliez pas que tous les programmes suivants sont donnés à titre indicatif. Chacun est conçu pour des coureurs aux niveaux appropriés de condition physique. Ne forcez pas trop, et écoutez votre corps. Si vous ressentez une douleur ou une gêne importante, en particulier si vous n'avez pas fait d'exercice régulier ces cinq dernières années, consultez immédiatement un généraliste ou un médecin du sport.

4 Niveau intermédiaire

pages 64–71

Pour coureurs réguliers
Destiné à ceux qui peuvent courir 30-58 km en quatre à six jours dans la semaine, y compris ceux qui souhaitent courir le marathon en 4 h 15 ou une course de 10 km en 50 min.

Ce programme s'utilise pour :

- Améliorer la forme physique (programme de trois à quatre semaines).
- Préparer une course de 10 km ou un semi-marathon (programme de huit à dix semaines).
- Préparer un marathon (programme de seize semaines).

5 Niveau supérieur

pages 72–79

Pour coureurs expérimentés
Destiné aux coureurs qui s'entraînent cinq à six jours par semaine, y compris ceux qui souhaitent courir le marathon entre 4 h 15 et 3 h 30, ou une course de 10 km en 50-40 min.

Ce programme s'utilise pour :

- Améliorer la forme physique (programme de trois à quatre semaines, renouvelable).
- Préparer une course de 10 km ou un semi-marathon (programme de huit à dix semaines).
- Préparer un marathon (programme de seize semaines).

6 Niveau supérieur

pages 80–87

Pour coureurs expérimentés
Destiné aux coureurs qui s'entraînent six à sept jours par semaine, y compris ceux qui souhaitent courir le marathon entre 3 h 30 et 2 h 50, ou une course de 10 km en 40-34 min.

Ce programme s'utilise pour :

- Améliorer la forme physique (programme de trois à quatre semaines, renouvelable).
- Préparer une course de 10 km ou un semi-marathon (programme de huit à dix semaines).
- Préparer un marathon (programme de seize semaines).

Fréquence cardiaque cible

Pendant les séances d'entraînement, vous pouvez utiliser un cardiofréquencemètre pour vous aider à vérifier que vous ne travaillez pas trop dur (ni trop facilement !). Les modèles de base, moins coûteux qu'une simple paire de chaussures de course, sont très faciles d'emploi (voir p. 22 pour en savoir davantage). Selon la séance, votre fréquence cardiaque cible sera comprise entre 60 et 95 % de votre fourchette normale de travail.

Pour calculer votre fréquence cardiaque cible, il faut connaître votre fréquence cardiaque maximale (FCM). Si vous avez 20 % de kilos en trop ou que vous débutez, il est préférable d'évaluer votre FCM avec la formule approximative ci-dessous :

214 – (0,8 x âge) pour les hommes
209 – (0,9 x âge) pour les femmes

Par exemple, un homme de 30 ans aura probablement une FCM de :
0,8 x 30 = 24
214 – 24 = 190

S'entraîner au bon rythme cardiaque

Il existe trois grandes zones d'entraînement :

60-75 %	FACILE
75-85 %	MOYENNE
85-95 %	DIFFICILE

ATTENTION À NE PAS VOUS FAIRE PIÉGER PAR UNE FAUSSE IDÉE COURAMMENT RÉPANDUE :

Ces pourcentages ne correspondent pas à votre fréquence cardiaque maximale générale ; ils sont basés sur votre fréquence cardiaque de travail, ce qui fait une grande différence si vous courez régulièrement. Le calcul, facile à faire, demande cependant plus d'explications que la plupart des clubs de gym en donnent.

Comment trouver votre zone d'entraînement

1. Calculez votre fréquence cardiaque maximale (voir ci-dessus). Nous prendrons 206 comme exemple.
2. Calculez votre fréquence cardiaque au repos. Faites-le allongé, immobile, peu de temps après le réveil. Supposons que vous trouviez 56.
3. Soustrayez la fréquence au repos du maximum. Le résultat obtenu est votre fréquence cardiaque de travail. Dans notre exemple : 206 – 56 = 150
4. Prenez le pourcentage de votre fréquence cardiaque de travail correspondant à votre objectif ; par exemple, 60 % pour un footing facile donne 150 x 0,60 = 90, résultat à ajouter à votre fréquence cardiaque au repos (90 + 56 = 146) pour obtenir votre fréquence cardiaque cible personnelle pour la séance.

Trouvez votre FCM

Pour 5 à 10 % de la population, la méthode précédente peut néanmoins donner un écart par rapport à la réalité, jusqu'à 24 battements par minute. Par conséquent, il vaut mieux trouver votre FCM en courant. Pour y parvenir, échauffez-vous en faisant quelques étirements, courez le plus vite possible à une allure régulière pendant 3 min (l'idéal est de le faire sur un tapis de course), reposez-vous en courant doucement 2 min, puis recommencez la course maximale de 3 min. Pendant la deuxième course, vous devriez obtenir une fréquence cardiaque maximale plus élevée qu'avec toutes les autres méthodes. Toutefois, l'emploi d'un cardiofréquencemètre vous permettra de mesurer votre pouls pendant tout le test et d'enregistrer un éventuel pic de fréquence cardiaque avant la fin de la course.

Notez qu'un cardiofréquencemètre est peu utile pour les intervalles de vitesse inférieurs à 1 000 m ; les chiffres au-delà de 85 % indiquent ce que vous pouvez compter atteindre à la fin de chaque répétition.

Si la vitesse cible semble bien trop lente...

- La fréquence cardiaque maximale que vous utilisez manque peut-être de précision (si vous l'avez estimée). Ajoutez 12 battements à votre FCM théorique et recommencez les calculs.
- Vous employez peut-être les pourcentages de votre fréquence cardiaque maximale au lieu de votre fréquence cardiaque de travail (voir à gauche).

Séances modèles

60 %

Footing de récupération, très lent. Bien que les footings de récupération soit lents, ils jouent un rôle crucial. Durée : 30 min.

60 à 70 %

Footing long et lent qui, jusqu'à 65 %, permet au corps d'apprendre à brûler les graisses pour en tirer de l'énergie (utile pour les marathons). Durée : entre une et 3 heures.

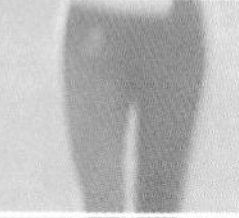

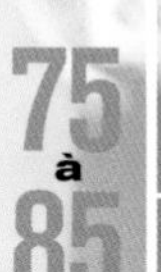

Fartlek (footings à allure modérée avec accélérations libres). Durée : 30-60 min.

Route vallonnée, pic à 85 % en côte. Durée : 30-90 min.

Footing en seuil anaérobie (ou à allure « tempo »). Environ 16 km à une allure de semi-marathon. Séance modèle : 2,5 km à 60 %, 15-20 min à 85 %, puis 2,5 km à 60 %.

Allure du 5 au 10 km (environ). Séances modèles : 6 x 800 m avec un pic à 90 % à chaque répétition ; ou 5 x 2 000 m avec un pic à 85 % à chaque répétition.

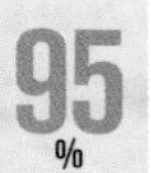

Fréquence cardiaque de pic à une allure d'intervalles de 400 m (pas une allure de course à fond). Séance modèle : 12 x 400 m avec récupérations en joggant sur 200 m pour faire retomber à au moins 70 % la fréquence cardiaque.

Pour gagner en force et en vitesse

Le travail de vitesse (également appelé « intervalles » ou « répétitions ») représente le meilleur moyen de gagner en force, en vitesse et de prendre de l'assurance. Une séance hebdomadaire portera ses fruits, que vous couriez le mile (1,6 km) en douze ou en cinq minutes.

Une fois que vous parviendrez à courir 30-40 min ou davantage, trois à quatre fois par semaine, vous pourrez consacrer une de vos séances au travail de la vitesse. Il faudra fournir de gros efforts, mais vous en constaterez les bienfaits pendant des jours : votre niveau de forme physique augmentera rapidement, et vous éprouverez plus de facilité et de plaisir à courir normalement.

Types de travail de vitesse

Tout travail de vitesse comporte des périodes de course difficile entrecoupées de repos. Excepté cela, les variations sont infinies. Il est possible de travailler la vitesse sur une étendue de gazon ou une piste de stade, bien qu'il ne soit pas indispensable de connaître les distances exactes. L'intervalle de repos (pendant lequel on reste debout, on court à petites foulées, ou l'on marche) varie en fonction de l'objectif de la séance.

Les courtes distances et/ou les longs temps de repos conviennent mieux pour développer la vitesse pure, tandis que les longues distances et/ou les courts temps de repos permettent d'augmenter la vitesse et l'endurance. Une bonne règle consiste à se reposer pendant une durée équivalente à celle de l'effort fourni. Lors de séances typiques, vous pourrez courir 8 x 400 m ; 4 x 800 m ; 3 x 1 200 m ; ou 200 m, 400 m, 800 m, 1 200 m, 800 m, 400 m, 200 m (il s'agit d'une séance pyramidale). Il est également possible de se référer au temps au lieu de la distance ; par exemple, 8 x 90 secondes, ou 4 x 4 min.

À quelle intensité courir ?

Tant que vous fournissez un effort plus important que lors d'un entraînement à allure normale, vous travaillez la vitesse. Une fois que vous serez habitué à ce type d'entraînement, il faudra vous fixer comme but de courir à une allure rapide mais régulière ; la dernière répétition d'une séance doit être aussi rapide que la première, et elle ne doit pas vous laisser la sensation que vous auriez pu la courir plus vite. Le travail de vitesse non seulement améliore beaucoup la condition physique, mais il vous apprend aussi à trouver le bon rythme.

1

Niveau débutant

Ce niveau est destiné à ceux qui n'ont jamais pratiqué la course à pied. L'objectif de ce programme consiste à courir 30 min sans interruption. Une fois que vous aurez terminé ce niveau, vous pourrez participer à une course de 5 km si vous le souhaitez. Dès lors que vous pourrez courir 30 min sans interruption, un programme spécifique du niveau 2 (p. 58-59) vous entraînera à courir le 5 km un peu plus vite. Si vous êtes déjà en forme, vous n'aurez pas besoin de commencer ce programme au début, et vous serez probablement capable de progresser en toute sécurité plus rapidement que nous le conseillons (voir « Déjà en forme ? », à gauche). D'une façon comme de l'autre, soyez patient, et efforcez-vous de courir plus lentement qu'il vous paraît nécessaire. Même si vous n'avez aucun problème cardio-respiratoire, vos muscles, articulations et tendons, pas encore adaptés à la course à pied, seront particulièrement sujets aux blessures pendant ces premières étapes. Pensez à ces semaines de course lente comme à un investissement qui vous permettra de tirer profit de la course à pied toute votre vie, sans risque de blessure.

Déjà en forme ? Certains seront capables de courir 30 min sans interruption dès le premier jour. D'autres s'adapteront très vite au programme et seront en mesure de suivre une progression plus rapide que celle préconisée. C'est tout à fait normal : nous avons tous acquis des niveaux différents de forme physique et certains organismes s'adaptent plus rapidement aux exigences mécaniques de la course à pied. Cependant, il vaut mieux pour l'instant vous fixer comme but d'augmenter progressivement la durée de course plutôt que la vitesse, afin de limiter les risques de blessure. Si votre niveau de forme est correct, suivez les conseils pages 53 et 55.

Programme du niveau 1

Répétez chaque séance quatre fois par semaine. À ce stade, essayez de ne pas vous entraîner deux jours de suite, et n'oubliez pas qu'il s'agit de courir à petites foulées à une allure tranquille, c'est-à-dire qui permet de maintenir une conversation (environ 60-70 % de votre fréquence cardiaque de travail, voir p. 48-49). Pendant les pauses, récupérez en marchant rapidement. Si vous avez besoin de répéter une semaine, n'hésitez pas à décaler le programme en conséquence, ou à alterner les séances proposées avec d'autres, plus faciles, pendant deux semaines au lieu d'une.

Enfin, si vous ne vous sentez pas encore prêt à vous exercer 30 min entières, en particulier si vous êtes 20 % au-dessus de votre poids idéal, marchez d'un bon pas 20-30 min, quatre fois dans la semaine, sur deux, trois, voire davantage de semaines. C'est la meilleure manière de préparer les jambes à la course à pied, et aussi un bon exercice cardio-vasculaire qui vous habituera à suivre un programme.

SEMAINE 1

2 min de course, 2 min de marche.
Effectuez cette séquence sept fois par séance.

SEMAINE 2

4 min de course, 2 min de marche.
Effectuez cette séquence cinq fois par séance.

SEMAINE 3

6 min de course, 2 min de marche.
Effectuez cette séquence quatre fois par séance.

Semaine 3 – Faites le point.

Arrivez-vous à maintenir une conversation en courant ? Vous sentez-vous prêt à recourir après les pauses faites en marchant ? N'éprouvez-vous toujours aucune douleur ? Si oui, vous pouvez passer à la semaine 4. Si vous avez répondu « non » à l'une de ces questions, consultez la rubrique « C'est trop dur ! » (p. 54). Cependant, si vous avez l'impression de ne fournir aucun effort en courant à une allure tranquille, et que vous ne ressentez pas de douleur, passez à la semaine 6.

SEMAINE

8 min de course, 2 min de marche.
Effectuez cette séquence trois fois par séance.

SEMAINE

6 min de course, 2 min de marche, 10 min de course, 2 min de marche, 10 min de course, 2 min de marche.

SEMAINE 6

10 min de course, 1 min de marche.
Effectuez cette séquence trois fois par séance.

Semaine 6 – Faites le point.

Si vous avez du mal à terminer les 10 min de footing, ne vous inquiétez pas ; il vous suffit de recommencer la semaine 5, voire la 4, jusqu'à ce que vous vous sentiez physiquement prêt à progresser. Par contre, si vous éprouvez trop de facilité, laissez tomber la semaine 7, mais effectuez normalement les semaines 8, 9 et 10. La patience joue un rôle fondamental pour établir de bonnes bases sportives et éviter les blessures.

Si vous...

pouvez courir 30 min sans interruption

Pendant les quatre prochaines semaines, faites chaque semaine trois ou quatre footings de 20-40 min, sans forcer. Ensuite, commencez les programmes du niveau 2, mais attendez encore au moins deux semaines supplémentaires avant de travailler la vitesse.

Si vous...

pouvez courir 10-15 min non-stop sans être essoufflé

Commencez les programmes du niveau 1 à une semaine qui requiert la répétition de footings d'une durée inférieure de deux à quatre minutes à votre limite d'effort. Si c'est trop dur, il n'y a pas de honte à revenir une ou deux semaines en arrière.

1

Niveau débutant

C'est trop dur !

Beaucoup de débutants essaient de fournir trop d'efforts, trop tôt. Leur impatience, ou les blessures qui peuvent en résulter, les amène à penser qu'ils ne sont pas faits pour ce sport, et à se priver d'une vie saine. Ayez confiance en vous ! Si vous n'avez pas de gros problèmes de santé, vous pouvez courir régulièrement, à l'allure qui vous convient, quelle qu'elle soit. Pensez aux personnes obèses qui ont perdu plus de la moitié de leur poids grâce à un programme de course et de marche à pied, aux cancéreux qui, contre toute attente, ont commencé ou continué à courir, et aux amputés, ou aux septuagénaires qui en font autant.

Il n'y a pas de honte à ralentir le rythme. Si vous avez du mal à suivre le programme, recommencez celui d'une semaine qui vous permet de vous entraîner confortablement, même s'il s'agit du tout premier, et répétez-le jusqu'à ce que vous sentiez que vous êtes prêt à progresser. Ensuite, recommencez le programme de la semaine suivante autant de fois que nécessaire, et ainsi de suite. En outre, essayez de trouver un partenaire d'entraînement, efforcez-vous de courir sur des surfaces douces et étirez-vous après chaque séance pour réduire les douleurs au minimum (voir p. 40-41 pour des conseils sur la motivation).

SEMAINE 7

13 min de course, 1 min de marche, 14 min de course, 1 min de marche.

SEMAINE 8

15 min de course, 1 min de marche, 16 min de course, 1 min de marche.

SEMAINE 9

17 min de course, 1 min de marche, 18 min de course, 1 min de marche.

Semaine 9 – Faites le point.

À présent, vous brûlez peut-être d'envie de passer au programme de la semaine 10 dont les derniers footings, plus longs, vous permettront d'atteindre votre objectif de 30 min. Faites-le si vous n'éprouvez aucune douleur et que vous avez trouvé les footings de la semaine précédente très faciles.
Si vous n'êtes pas aussi confiant, mais que vous vous sentez vraiment prêt à commencer la semaine 10, n'hésitez pas à étaler les cinq séances hebdomadaires sur deux semaines, en alternant chaque séance avec des jours de course/marche sans forcer.

54

J'attrape un point de côté ou j'ai des crampes d'estomac

Les points de côté sont des douleurs vives juste au-dessous de la cage thoracique, provoquées par des crampes dans la paroi de l'estomac. Voici comment s'en débarrasser :

- Si vous attrapez un point de côté à droite, expirez fort à chaque fois que votre pied gauche retombe au sol. Si le point de côté est à gauche, expirez fort lorsque votre pied droit retombe au sol.
- Respirez profondément à partir du ventre en courant avec les mains sur le sommet de la tête et les coudes en arrière.
- Inspirez profondément et retenez votre souffle pendant 15 secondes en continuant à courir.
- Arrêtez-vous plusieurs fois pour toucher vos orteils.
- La méthode la plus extrême consiste à pousser le poing sous la cage thoracique avec l'autre bras, puis à se pencher d'un angle proche de 90° en continuant à courir sur une dizaine de mètres.

Le fait de manger ou de boire juste avant un footing peut également être à l'origine de crampes d'estomac. Il s'agit d'une question très personnelle : certains peuvent courir 20 à 30 min après avoir mangé un petit quelque chose, alors que d'autres doivent éviter toute nourriture trois ou quatre heures avant.
(Voir p. 26-27 pour plus d'informations sur l'alimentation avant un footing).

Si vous...

souhaitez progresser plus vite dans le programme

Tant que vous ne ressentez aucune douleur physique et que vous continuez à courir à une allure tranquille, vous pouvez sauter une semaine sur trois dans le programme. Sinon, courez quatre jours par semaine en alternant un jour d'une semaine facile avec un autre d'une semaine plus difficile (par exemple, semaines 2 et 3), puis alternez des jours de semaines plus difficiles (par exemple, semaines 4 et 5).

SEMAINE **10** PROGRAMME QUOTIDIEN

JOUR 1 : 9 min de course, 1 min de marche, 21 min de course.

JOUR 2 : 7 min de course, 1 min de marche, 23 min de course.

JOUR 3 : 5 min de course, 1 min de marche, 25 min de course.

JOUR 4 :: 3 min de course, 1 min de marche, 27 min de course.

JOUR 5 : **30 min de course !**

2 Niveau débutant 4 semaines, renouvelable

Ce niveau présuppose que vous puissiez courir 30 min sans interruption. Il se compose d'un programme de forme physique et d'un programme de préparation à un premier 5 km. Si vous n'arrivez pas encore à courir 30 min non-stop, continuez avec le niveau 1. Si vous n'avez jamais fait de footing auparavant mais que votre condition physique naturelle vous permet déjà de courir 30 min d'une seule traite, résistez à la tentation d'aller plus vite avant au moins six semaines d'entraînement. Consacrez plutôt les quatre prochaines semaines à faire chaque semaine trois ou quatre footings sans forcer, chacun d'une durée de 20-40 min. Ensuite, vous pourrez commencer le niveau 2, mais attendez au moins encore deux semaines avant de travailler la vitesse.

Forme physique

QUATRE SEMAINES, RENOUVELABLE

Au préalable, vous devez être capable de courir 30 min sans interruption, trois à quatre fois par semaine.

Pour utiliser le programme de mise en forme, suivez d'abord les séances principales. Si vous souhaitez progresser après avoir facilement terminé le premier cycle de quatre semaines, répétez le programme avec les variantes.

En cas de douleur, n'hésitez pas à remplacer une séance longue ou difficile par une autre plus courte ou plus facile. N'oubliez pas qu'à ce stade, même les footings effectués lentement développent la condition physique. Courir régulièrement, sans dépasser ses limites, est la chose la plus importante.

SEMAINE	LUNDI	MARDI
1	repos	10' lentement ; 4 x 1' à allure vive, avec 2' de récup. en joggant ; 10' lentement (cf. p. 95)
CYCLE 2		Ajoutez une répétition
2	repos	10' lentement, 20' de fartlek, 10' lentement (cf. p. 95)
CYCLE 2		Ajoutez 5' de fartlek
3	repos	10' lentement ; 4 x 90" vite, avec 2' 30" de récup. en joggant ; 10' lentement (cf. p. 95)
CYCLE 2		Ajoutez 30" à chaque effort
4	repos	10' lentement ; 2 x 4' à allure vive, avec 4' de récup. en joggant
CYCLE 2		Ajoutez 1' à chaque effort

Semaine 4—Faites le point.

Prenez votre temps. En cas de fatigue fréquente ou de douleurs persistantes, courez moins vite et n'hésitez pas à remplacer un footing long ou difficile par un autre plus court ou plus facile.
Si vous avez terminé la semaine 4 sans problème, et que vous souhaitez vous préparer au niveau 3, passez au cycle 2. Sinon, répétez le premier cycle aussi longtemps que vous le désirez, ou simplement jusqu'à ce vous éprouviez une sensation de facilité.

Quelle vitesse ?

La plupart des footings doivent être effectués à une allure tranquille. L'objectif consiste à améliorer la forme physique et l'endurance ; travaillez dans le but d'augmenter la durée de course sans éprouver de gêne. En cas de doute, ralentissez le rythme et marchez une minute de temps en temps pendant les longs footings.

Chaque semaine, un footing inclut des intervalles de vitesse. Courez à une allure rapide mais constante, de façon à ce que les dernières accélérations soient aussi rapides que les premières.

MERCREDI	JEUDI	VENDREDI	SAMEDI	DIMANCHE
repos	25-35' lentement	repos	25-35' lentement	35' lentement
	Ajoutez 5' (facultatif)			Ajoutez 10'
repos	25-35' lentement	repos	25-35' lentement	40' lentement
	Ajoutez 5' (facultatif)			Ajoutez 15'
repos	25-35' lentement	repos	25-35' lentement	45' lentement
	Ajoutez 5' (facultatif)			Ajoutez 15'
repos	25-35' lentement	repos	25-35' lentement	50' lentement
	Ajoutez 5' (facultatif)			Ajoutez 15'

2

Programme pour le 5 km 6 - 8 semaines

Avant de commencer ce programme, vous devez être capable de courir 30 min sans interruption, trois à quatre fois dans la semaine.

SEMAINE	LUNDI	MARDI
1	Repos	10' lentement ; 4-6 x 1' vite, avec 2' de récup. en joggant ; 10' lentement (cf. p. 95)
2	Repos	10' lentement, 20-30' de fartlek, 10' lentement (cf. p. 95)
3	Repos	10' lentement ; 4-6 x 90", avec 2' 30" de récup. en joggant ; 10' lentement
4	Repos	10' lentement, 20' de fartlek, 10' lentement
5	Repos	10' lentement ; 3-4 x 3' vite, avec 3' de récup. en joggant ; 10' lentement
6	Repos	25' lentement, en intégrant 6 séries de course plus rapide de 20-40" (cf. p. 95)

Progression optionnelle

	Semaine 1	Semaine 2
LUNDI	Repos	Repos
MARDI	25' lentement	25' lentement, en intégrant six séries de course plus rapide de 20-40"
MERCREDI	Repos	Repos
JEUDI	20-30' lentement	20-30' lentement
VENDREDI	Repos	Repos
SAMEDI	20-25' lentement	20-25' allure soutenue
DIMANCHE	30-35' lentement	30-35' lentement

58

Semaine 4 – Faites le point.

Fixez-vous un objectif de temps approximatif pour le 5 km en vous basant sur la course de vitesse de 1 600 m de cette semaine :
10 min = 34 min (avec un peu de marche) 9 min = 31 min,
7 min = 24 min 8 min = 27 min, 6 min = 20 min
Si vous avez terminé la semaine 4 sans problème, et que vous souhaitez vous préparer au niveau 3, effectuez le cycle 2. Sinon, répétez le premier cycle jusqu'à ce que vous éprouviez une sensation de facilité.

MERCREDI	JEUDI	VENDREDI	SAMEDI	DIMANCHE
Repos	20-30' lentement	Repos	20-25' allure soutenue (cf. p. 95)	30-40' lentement
Repos	20-30' lentement	Repos	20-25' allure soutenue	35-45' lentement
Repos	25-35' lentement	Repos	25-30' allure soutenue	40-50' lentement
Repos	10' lentement, étirements (cf. p. 32-35), course de vitesse sur 1 600 m, 10' lentement	Repos	20-25' lentement	45-55' lentement
				Faites le point
Repos	25-35' lentement	Repos	25-30' allure soutenue	35-45' lentement
Repos	20-25' lentement	Repos	15-20' lentement ou repos	Course de 5 km

3

Niveau reprise 4 semaines, renouvelable

Ce niveau, destiné à ceux qui parviennent à courir 25-40 km en quatre à cinq fois dans la semaine, comporte un programme de forme physique et un pour le 10 km, qui peuvent tous les deux convenir à des coureurs très différents. Avant de commencer le programme du 10 km, courez chaque semaine au moins 25-30 km, pendant plusieurs semaines. Le kilométrage de ce programme augmente d'une semaine à l'autre, et vous pourrez d'autant mieux vous adapter à cette progression que votre base d'entraînement sera solide. Pour tirer un maximum de bienfaits au niveau de la forme et de la santé, et limiter les risques de blessure le plus possible, augmentez votre kilométrage hebdomadaire de seulement 3 à 5 km par semaine.

Forme physique

QUATRE SEMAINES, RENOUVELABLE

Avant de commencer, vous devez être capable de courir 30-35 min sans interruption, quatre à cinq jours par semaine.

Pour utiliser le programme de forme physique, effectuez d'abord les séances principales. Si vous désirez progresser lorsque vous aurez facilement accompli le premier cycle de quatre semaines, répétez le programme et les variantes avec le cycle 2. En cas de douleur, quelle qu'elle soit, n'hésitez pas à remplacer un footing long ou difficile par un autre plus court ou plus facile. Même les footings lents amélioreront votre condition physique. Il est plus important de courir régulièrement, sans dépasser ses limites, que d'augmenter la vitesse.

SEMAINE	LUNDI	MARDI
1	Repos	10' de jogging ; 4 x 2' (ou 400 m) vite, avec 2' de récup. en joggant ; 10' de jogging (cf. p. 95)
CYCLE 2		Ajoutez une répétition
2	Repos	10' lentement, 20' de fartlek, 10' lentement (cf. p. 95)
CYCLE 2		Ajoutez 5' de fartlek
3	Repos	10' lentement ; 1', 2', 4', 2', 1' (ou 200 m, 400 m, 800 m, 400 m, 200 m) vite, avec récup. de même durée ; 10' lentement
CYCLE 2		Ajoutez 30" à chaque effort
4	Repos	10' lentement ; 3 x 4' (ou 800 m) allure vive, avec 4' de récup. en joggant
CYCLE 2		Ajoutez 1' à chaque effort

Semaine 4 – Faites le point.

Prenez votre temps. En cas de fatigue fréquente, ou de douleurs persistantes, n'hésitez pas à remplacer un footing long ou éprouvant par un autre plus court ou plus facile. À ce stade, courir lentement favorise particulièrement le développement de la condition physique. Il est très important de courir régulièrement, sans dépasser ses limites.
Si vous avez terminé la semaine 4 sans difficulté, et que vous souhaitez vous préparer au niveau 4 (p. 64), effectuez le cycle 2. Sinon, répétez le premier cycle aussi longtemps que vous le désirez. À la fin du cycle 2, recommencez-le ou passez au niveau 4.

MERCREDI	JEUDI	VENDREDI	SAMEDI	DIMANCHE
Repos ou 25-35' lentement (cf. p. 95)	25-35' lentement	Repos	25-35' lentement	35-45' lentement
	Ajoutez 5' (facultatif)			Ajoutez 10'
Repos ou 25-35' lentement	25-35' lentement	Repos	25-35' lentement	40-50' lentement
	Ajoutez 5' (facultatif)			Ajoutez 15'
Repos ou 30-40' lentement	25-35' lentement	Repos	25-35' lentement, avec foulées (cf. p. 95)	45-55' lentement
	Ajoutez 5' (facultatif)			Ajoutez 15'
Repos ou 30-40' lentement	10' lentement, 15-25' de fartlek	Repos	25-35' lentement, avec foulées	50-60' lentement
	Ajoutez 5' (facultatif)			Ajoutez 15'

À QUEL MOMENT DE LA JOURNÉE S'ENTRAÎNER ?
Il n'y a pas de bon ou de mauvais moment pour courir, mais il est conseillé de suivre une routine de façon à ce que la pratique de la course à pied fasse partie intégrante de la journée.
De nombreux coureurs s'entraînent avant le petit-déjeuner, ce qui leur permet de libérer le reste de la journée et d'avoir le sentiment d'avoir accompli quelque chose pendant que la moitié de leurs voisins dorment encore. D'autres préfèrent l'heure du déjeuner ou le soir, surtout pour travailler la vitesse. D'une façon comme de l'autre, efforcez-vous de planifier la semaine à venir et, si nécessaire, notez les séances de course dans votre agenda. Si possible, essayez parfois de faire en courant au moins une partie du trajet pour aller au travail. Cet entraînement idéal vous fera gagner du temps (à condition de pouvoir prendre une douche au bureau !).

Niveau reprise – premier programme pour le 10 km

Avant de commencer ce programme, vous devez être capable de courir 30-40 km sans interruption en quatre ou cinq fois dans la semaine.

Semaine 3 – Faites le point.

Fixez-vous un objectif de temps approximatif pour le 10 km en vous basant sur votre course de vitesse de 1 600 m :

10+ min = 70 min (avec un peu de marche)

9 min = 65 min	7 min = 51 min
8 min = 58 min	6 min = 43 min

Si vous avez terminé en moins de sept minutes, vous courez naturellement à une bonne allure. Vous pourriez envisager de passer directement à la semaine 4 du programme du niveau 5 pour le 10 km (p. 74), mais avant de progresser, nous vous conseillons de voir comment vous réagissez au kilométrage relativement faible de ce niveau, qui correspond au premier objectif du niveau 4.

COURIR AVEC UN AMI + RAPIDE (OU + LENT)

Deux coureurs de niveaux différents ne peuvent pas toujours s'entraîner ensemble, mais il leur est possible d'effectuer en commun l'intégralité ou une partie de certains footings afin que le moins véloce des deux soit stimulé et que le plus rapide apprécie davantage une séance à faible allure de son programme. Les séances de vitesse donnent l'occasion de combiner les niveaux, du fait qu'elles ont souvent lieu sur un circuit fermé, ce qui permet au moins rapide de prendre des raccourcis. Le travail en côte donne également à deux coureurs la possibilité de partir en même temps, à condition que le plus rapide commence plus bas dans la côte.

SEMAINE	LUNDI	MARDI
1	Repos	2,5 km de jogging ; 4 x 400 m vite, avec 2' de récup. ; 2,5 km de jogging (cf. p. 95)
2	Repos	2,5 km de jogging ; 4 x 600 m vite, avec 2' 30" de récup. ; 2,5 km de jogging
3	Repos	2,5 km de jogging ; course de vitesse sur 1 600 m ; 2,5 km de jogging
4	Repos	3 km de jogging ; 200 m, 400 m, 800 m, 400 m, 200 m, avec récup. moitié moins longues que les efforts ; 3 km de jogging
5	Repos	2,5 km de jogging ; 4 x 400 m vite, avec 3' de récup. ; 2,5 km de jogging
6	Repos	3 km de jogging ; course de vitesse sur 1 600 m ; 3 km de jogging
7	Repos	2,5 km de jogging ; 3 x 1 000 m allure vive, avec 4' de récup. ; 2,5 km de jogging
8	Repos	2,5 km de jogging ; 5 x 400 m vite, avec 2' de récup. ; 2,5 km de jogging

Semaine 6—Faites le point.

Ne vous inquiétez pas si la course de vitesse de la semaine dernière n'a pas été aussi rapide que la première. Cela ne signifie pas que vous avez perdu en forme ; après tout, vous sentez bien que votre entraînement des trois dernières semaines a produit un effet positif. Cependant, utilisez votre temps à la course de vitesse de la semaine dernière pour estimer votre allure au 10 km. Le jour de la course, commencez à votre allure cible, puis accélérez pendant les trois derniers kilomètres si vous vous en sentez d'attaque.

MERCREDI	JEUDI	VENDREDI	SAMEDI	DIMANCHE
Repos ou 5-6 km lentement (cf. p. 95)	6-8 km allure soutenue (cf. p. 95)	Repos	10' lentement, 10' allure vive, 10' lentement (cf. p. 95)	6 km lentement
Repos ou 5-6 km lentement	6-8 km allure soutenue	Repos	10' lentement, 25' de fartlek (cf. p. 95)	8 km lentement
Repos ou 5-6 km lentement	6-8 km allure soutenue	Repos	2 km de jogging ; 3 x 800 m vite, avec 3' de récup ; 2 km de jogging	10 km lentement
				« Faites le point
Repos ou 5-6 km lentement	6-8 km allure soutenue	Repos	10' lentement, 15-20' allure vive, 10' lentement,	6 km de jogging
Repos ou 6-8 km lentement	8-10 km allure soutenue	Repos	10' lentement, 30' de fartlek	10 km de jogging
Repos ou 6-8 km lentement	8-10 km allure soutenue	Repos	3 km de jogging ; 8 x 1' de course en côte, descente en joggant ; 3 km de jogging	11 km de jogging
				Faites le point
Repos ou 8-10 km lentement	10-11 km allure soutenue	Repos	10' lentement, 10' allure vive, 10' lentement	13 km lentement
Repos	5-6 km allure soutenue	Repos	25' lentement, avec foulées (cf. p. 95)	**Course de 10 km**

4

Niveau intermédiaire

Ce niveau, destiné à ceux qui parviennent à courir 32-48 km en quatre à cinq fois dans la semaine, suppose que vous avez l'habitude de courir 1 600 m en 9-11 min, mais il convient très bien si vous êtes plus rapide et que vous souhaitez tirer un maximum de profit d'un kilométrage plus faible.

Ce niveau comporte un programme de forme physique, un pour le 10 km et le semi-marathon, et un autre pour le marathon. Ceux pour le semi-marathon et le marathon, excellents pour préparer une première course de ce type, permettent au coureur moyen de réussir à effectuer ces distances respectives en 1 h 50 et 4 h 15. Si vous avez terminé le niveau 3, vous devriez être capable d'aborder le niveau 4 sans difficulté. Si vous avez seulement parcouru les distances minimales du niveau 4, prévoyez de suivre au moins un cycle du programme de forme physique de ce niveau (voir à droite) avant de commencer tout programme de course.

Pour utiliser le programme de forme physique, effectuez d'abord les séances principales. Pour progresser, répétez le programme, en intégrant les variantes indiquées dans le cycle 2.

GUIDE DE LA VITESSE
Pour travailler la vitesse, il faut maintenir une allure intense mais régulière. Comptez faire environ les temps suivants :

- Si vous courez 10 km en 60 min :
  400 m = 2 min 05
  800 m = 4 min 20
  1 200 m = 7 min 10
- Si vous courez 10 km en 55 min :
  400 m = 1 min 55
  800 m = 4 min
  1 200 m = 6 min 35
- Si vous courez 10 km en 50 min :
  400 m = 1 min 45
  800 m = 3 min 30
  1 200 m = 6 min

SEMAINE	LUNDI
1	Repos
CYCLE 2	
2	Repos
CYCLE 2	
3	Repos
CYCLE 2	
4	Repos
CYCLE 2	

Semaine 4 – Faites le point.

Prenez votre temps. En cas de fatigue fréquente, ou de douleurs persistantes, n'hésitez pas à remplacer un footing long ou éprouvant par un autre plus court ou plus facile. Même les footings lents développeront votre condition physique. Le plus important est de courir régulièrement, sans dépasser ses limites. Si vous avez terminé la semaine 4 facilement, et que vous souhaitez vous préparer au niveau 5, effectuez le cycle 2. Sinon, recommencez le premier cycle aussi longtemps que vous le désirez. À la fin du cycle 2, répétez-le ou passez au niveau 5.

MARDI	MERCREDI	JEUDI	VENDREDI	SAMEDI	DIMANCHE
10' de jogging ; 5 x 2' (ou 400 m) vite, avec 2' de récup. en joggant ; 10' de jogging (cf. p. 95)	Repos ou 25-35' lentement (cf. p. 95)	25-35' lentement	Repos	25-35' lentement	40-50' lentement
Ajoutez une répétition		Ajoutez 5-10'			Ajoutez 10'
10' lentement ; 20-25' de fartlek ; 10' lente-ment (cf. p. 95)	Repos ou 25-35' lentement	25-35' lentement	Repos	25-35' lentement	45-55' lentement
Ajoutez 5' de fartlek		Ajoutez 5-10'			Ajoutez 15'
10' lentement ; 1', 2', 3', 5', 3', 2', 1' (ou 200 m, 400 m, 600 m, 1 000 m, 600 m, 400 m, 200 m) vite, avec récup. de même durée ; 10' lentement	Repos ou 30-40' lentement	25-35' lentement	Repos	30-40' lentement, avec foulées (cf. p. 95)	50-55' lentement
Ajoutez 30" à chaque effort		Ajoutez 5-10'			Ajoutez 15'
10' lentement ; 3 x 4' (ou 800 m) allure vive, 3' de récup. en joggant (cf. p. 95)	Repos ou 30-40' lentement	10' lentement, 20-30' de fartlek	Repos	30-40' lentement, avec foulées	Course de 5-10 km ou 55-65' lentement
Ajoutez 1' à chaque effort		Ajoutez 5-10'			Course de 5-10 km ou ajoutez 15'

▲ Faites le point

10 km et semi-marathon

(ENVIRON 50 min POUR LE 10 km ; 1 h 50 + POUR LE SEMI-MARATHON)

SEMAINE	MONDAY	MARDI	MERCREDI
1	Repos	2,5 km de jogging ; 5 x 400 m, avec 2' de récup. ; 2,5 km de jogging (cf. p. 95)	Repos ou 6-8 km lentement (cf. p. 95)
2	Repos	2,5 km de jogging ; 5 x 600 m, avec 2' 30" de récup. ; 2,5 km de jogging [2 x 1 200 m avec 3' de récup.]	Repos ou 6-8 km lentement
3	Repos	2,5 km de jogging ; course de vitesse sur 1 600 m ; 2,5 km de jogging	Repos ou 6-8 km lentement [ou 8-10 km]
4	Repos	3 km de jogging ; 200 m, 400 m, 200 m vite, avec récup. moitié moins longues que les efforts ; 3 km de jogging	Repos ou 6 km lentement [ou 8 km]
5	Repos	2,5 km de jogging ; 5 x 800 m, avec 3' de récup. ; 2,5 km de jogging	Repos ou 6 km lentement [ou 8 km]
6	Repos	3 km de jogging ; course de vitesse sur 1 600 m ; 3 km de jogging [séance de samedi]	Repos ou 8-10 km lentement [ou 10-11 km]

SEMI-MARATHONIENS : Les variantes à votre programme correspondent aux chiffres entre [crochets].

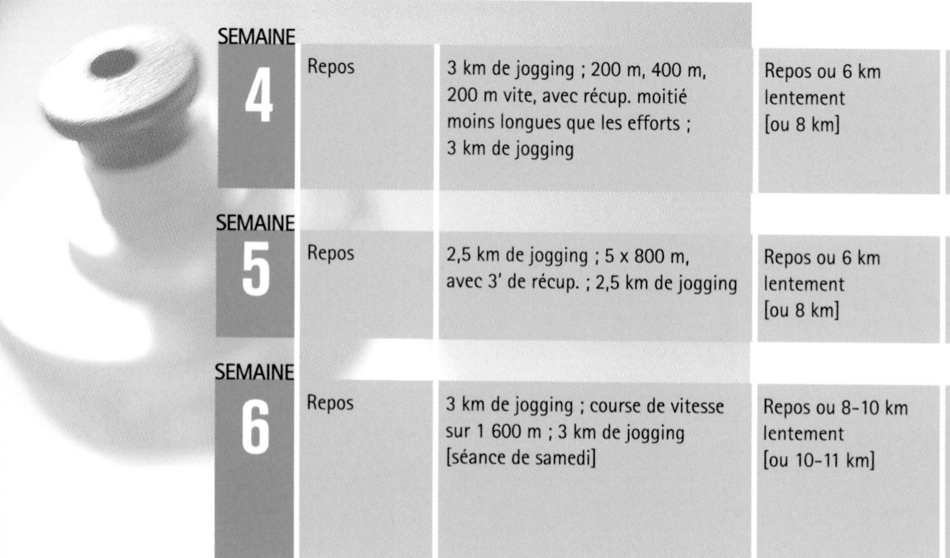

Avant de commencer, vous devez être capable de courir 30-45 km en quatre à cinq fois dans la semaine.

JEUDI	VENDREDI	SAMEDI	DIMANCHE
8-10 km allure soutenue (cf. p. 95)	Repos	10' lentement, 10' allure vive, 10' lentement (cf. p. 95)	8 km lentement [10 km]
8-10 km allure soutenue	Repos	10' lentement, 30' de fartlek (cf. p. 95)	10 km lentement [11 km]
8-10 km allure soutenue	Repos	2,5 km de jogging ; 4 x 800 m, avec 3' de récup. ; 2,5 km de jogging	11 km lentement [13 km]

Faites le point ▸▸

JEUDI	VENDREDI	SAMEDI	DIMANCHE
8-10 km allure soutenue	Repos	10' lentement, 20-25' allure vive, 10' lentement	8 km lentement [10 km]
8-10 km allure soutenue	Repos	10' lentement, 35' de fartlek	11 km lentement [13 km]
10-11 km allure soutenue	Repos	3 km de jogging ; 10 x 1' en côte, descente en joggant ; 3 km de jogging [5 km lentement, avec foulées]	13 km lentement [course de 16 km]

Faites le point ▸▸

Semaine 3 – Faites le point.

Fixez-vous un objectif de temps pour le 10 km en vous basant sur celui de la course de 1 600 m de mardi :
10 + min = 70 min (avec marche)
9 min = 65 min — 7 min = 51 min
8 min = 58 min — 6 min = 43 min
Il est plus difficile d'estimer les temps au semi-marathon à partir de celui d'une course de 1 600 m, mais ils peuvent correspondre respectivement à : 2 h 50 +, 2 h 33, 2 h 15, 1 h 57 et 1 h 39.

Si vous avez couru 1 600 m en moins de 7 min, votre allure de course est bonne. Vous pourriez passer directement à la semaine 4 des programmes du niveau 5 (p. 72), mais augmentez d'abord progressivement le kilométrage jusqu'à ce que vous soyez capable de courir 48 km par semaine, afin de pouvoir faire la transition sans risque.

Semaine 6 – Faites le point.

Coureurs du 10 km : utilisez votre temps à la course de vitesse de la semaine dernière pour prévoir votre allure sur 10 km.
Le jour de la course, commencez à votre allure cible, et accélérez pendant les 3 derniers kilomètres.

Semi-marathoniens : la course du 10 km doit vous donner une bonne indication de l'objectif à réaliser pour un semi-marathon :
60 min = 2 h 20
54 min = 2 h 05
48 min = 1 h 50
42 min = 1 h 35
40 min = 1 h 30
Si vous avez des douleurs, ne forcez pas (voir p. 36-37).

Semaines 7, 8, 9, 10 ▸▸

4

10 km – et semi-marathon (suite)

SEMAINE	LUNDI	MARDI	MERCREDI
7	Repos	2,5 km de jogging ; 4 x 1 km, avec 3' de récup. ; 2,5 km de jogging	Repos ou 8-10 km lent. [ou 10-11 km]
8	Repos	2,5 km de jogging ; 6 x 400 m, avec 2' de récup. ; 2,5 km de jogging [2-3 x 1,5 km, avec 4' de récup.]	Repos ou 8-10 km lentement [10-11 km]
9 (Semi-marathon seulement)	Repos	3 km de jogging ; 200 m, 400 m, 600 m, 400 m, 200 m, avec récup. moitié moins longues que les efforts ; 3 km de jogging	Repos ou 8-10 km lentement
10 (Semi-marathon seulement)	Repos	1,5 km de jogging, 1,5 km allure vive, 3 km de jogging	Repos ou 6 km lentement

SEMI-MARATHONIENS : les variantes à votre programme correspondent aux chiffres entre [crochets].

Programme pour le marathon (4 h 15 +)

Avant de commencer, vous devez être capable de courir 32-48 km en quatre ou cinq fois dans la semaine, avec de longs footings réguliers d'au moins 10-11 km. Même si vous n'y parvenez pas encore, vous avez peut-être les capacités de courir le marathon. Remplacez les séances du mardi par des footings faciles, et prévoyez de marcher une minute toutes les 5-10 min pendant les longs footings du dimanche (stratégie efficace également le jour du marathon). N'ajoutez des foulées ou une version facile du travail de vitesse du mardi que si vous vous sentez à l'aise.

SEMAINE	LUNDI	MARDI
1	Repos	1,5 km de jogging ; 2-3 x 800 m, avec 2' de récup. ; 1,5 km de jogging
2	Repos	1,5-2,5 km de jogging ; 2 x 1 200 m, avec 4' de récup. ; 1,5-2,5 km de jogging
3	Repos	1,5 km de jogging ; 800 m, 1 200 m, 800 m, avec 4' de récup. ; 1,5 km de jogging
4	Repos	1,5-2,5 km de jogging ; 6 x 400 m, avec 2' de récup. ; 1,5-2,5 km de jogging

JEUDI	VENDREDI	SAMEDI	DIMANCHE
11-13 km allure soutenue	Repos	10' lentement, 15' allure vive, 10' lentement	14 km lentement [14-16 km]
6-8 km allure soutenue [10-11 km]	Repos	30' lentement, avec foulées [10' lentement, 30' de fartlek]	Course de 10 km [16-18 km]
8-10 km allure soutenue	Repos	10' lentement, 10' allure vive, 10' lentement	11-13 km lentement
8 km de fartlek sans forcer (cf. p. 95)	Repos	Repos ou 5 km sans forcer	**Semi-marathon**

MERCREDI	JEUDI	VENDREDI	SAMEDI	DIMANCHE
Repos ou 8 km lentement	8-10 km lentement	Repos	8 km lentement, route non bitumée	8-11 km lentement
Repos ou 8 km lentement	1,5 km lent. 5-6 km all. soutenue, 1,5 km lent.	Repos	6-8 km lentement, route non bitumée	11-14 km lentement
Repos ou 8 km lentement	3 km lentement, 1,5-3 km allure vive, 3 km lentement	Repos	8-10 km lentement, route non bitumée	13-18 km lentement
Repos ou 8 km lentement	8-11 km de fartlek relâché	Repos	5-6 km lentement, route non bitumée	Course de 10 km

Faites le point ▸▸

4

Programme pour le marathon (4 h 15 +)

SEMAINE	LUNDI	MARDI	MERCREDI
5	Repos	1,5 km de jogging ; 3-4 x 800 m, avec 2' de récup. ; 1,5 km de jogging (cf. p. 95)	Repos ou 8 km lentement
6	Repos	1,5 km de jogging ; 3 x 1 200 m, avec 4' de récup. ; 1,5 km de jogging	Repos ou 8 km lentement
7	Repos	1,5 km de jogging ; 1 200 m, 800 m, 400 m, 800 m, 1 200 m, avec récup. moitié moins longues que les efforts ; 1,5 km de jogging	Repos ou 8 km lentement
8	Repos	1,5-3 km de jogging ; 8 x 400 m, avec 2' de récup. ; 1,5-3 km de jogging	Repos ou 8 km lentement
9	Repos	1,5 km de jogging ; 4-5 x 800 m, avec 2' de récup. ; 1,5 km de jogging	Repos ou 10 km lentement
10	Repos	1,5 km de jogging ; 4 x 1 200 m, avec 4' de récup. ; 1,5 km de jogging	5-8 km lentement
11	Repos	1,5 km de jogging ; 400 m, 800 m, 400 m, 1 600 m, 400 m, 800 m, 400 m, avec récup. moitié moins longues que les efforts ; 1,5 km de jogging	6-11 km lentement
12	Repos	1,5-3 km de jogging ; 10-12 x 400 m, avec 2' de récup. ; 1,5-3 km de jogging	Repos ou 8 km lentement
13	Repos	1,5 km de jogging ; 2 400 m, 1 200 m, 2 400 m, avec 2' de récup. ; 1,5 km de jogging	6-11 km lentement
14	Repos	1,5 km de jogging ; 4 x 800 m, avec 2' de récup. ; 1,5 km de jogging	8-10 km lentement
15	Repos	1,5-3 km de jogging ; 6-8 x 400 m, avec 2' de récup. ; 1,5-3 km de jogging	Repos ou 10 km lentement
16	Repos	1,5 km de jogging, 1,5-3 km allure soutenue, 1,5 km de jogging	Repos ou 6-8 km lentement

Semaine 4 – Faites le point.

L'objectif consiste à augmenter le kilométrage, sans mettre l'accent sur la vitesse. Cependant, si vous avez couru 10 km en moins de 50 min, vous avez la capacité de terminer le marathon en moins de 4 h 15. Continuez ce programme, en optant pour les plus grandes distances lorsque vous vous sentirez prêt, et réévaluez votre objectif de temps au marathon après le semi-marathon de la semaine 9.

JEUDI	VENDREDI	SAMEDI	DIMANCHE
1,5 km lentement, 5-6 km allure soutenue, 1,5 km lentement	Repos	8 km lentement, route non bitumée	16-23 km lentement
3 km lentement, 1,5-3 km allure vive, 3 km lentement	Repos	8 km lentement, route non bitumée	18-24 km lentement
3 km lentement, 6 km allure soutenue, 3 km lentement	Repos	6-8 km lentement, route non bitumée	16 km à semi-marathon, ou 19-26 km lentement
6-8 km de fartlek relâché (cf. p. 95)	Repos	6-8 km lentement, route non bitumée	18-24 km lentement
			Faites le point
1,5 km lentement, 5-8 km allure soutenue, 1,5 km lentement	Repos	6-8 km lentement, route non bitumée	Semi-marathon
1,5 km lentement, 6 km allure vive, 1,5 km lentement	Repos	6-8 km lentement, route non bitumée	23-29 km lentement
8-9,5 km de fartlek	Repos	8 km lentement, route non bitumée	24-31 km lentement
1,5 km lentement, 6-8 km allure soutenue	Repos	6-8 km lentement, route non bitumée	21-24 km lentement
			Faites le point
3 km lentement, 1,5-5 km allure vive, 3 km lentement	Repos	6-8 km lentement, route non bitumée	29-32 km lentement
10-11 km de fartlek	Repos	6-8 km lentement, route non bitumée	21-24 km lent. ou course de 10-16 km
3 km lentement, 1,5-3 km allure vive, 3 km lentement	Repos	6-8 km lentement, route non bitumée	13-16 km lentement
6 km lentement, avec foulées	Repos	Repos ou 3-6,5 km lentement	Marathon

Semaine 8 – Faites le point.

Vous êtes à mi-chemin de votre objectif de marathon ; vous gagnez en puissance à mesure que vos cellules musculaires apprennent à utiliser l'oxygène et l'énergie plus efficacement, et votre système cardio-vasculaire se renforce. Le semi-marathon de la semaine prochaine devrait vous donner une idée approximative de votre temps au marathon :

2 h 15 = 5 h 00
2 h 00 = 4 h 26
1 h 48 = 3 h 58
1 h 35 = 3 h 28

Semaine 12 – Faites le point.

Les semaines 10, 11 et 13 sont les plus difficiles du programme, mais cela fait trois mois que vous vous entraînez pour le marathon. Après la semaine 13, votre préparation sera presque terminée. Faites des séances de kinésithérapie pour traiter toute blessure bénigne, et peaufinez votre stratégie concernant l'alimentation et la boisson avant et pendant la course.

Niveau supérieur

Ce niveau est destiné à ceux qui courent 40-56 km en quatre à six fois dans la semaine. Il comporte un programme de forme physique, un pour le 10 km et le semi-marathon, et un autre pour le marathon. Nous avons associé des objectifs de temps approximatifs aux programmes de course (respectivement, 40-50 min, 1 h 30-1 h 50 et 3 h 30-4 h 15), mais il est plus important de choisir un programme dont le volume d'entraînement convient à votre condition physique actuelle.

Forme physique

QUATRE SEMAINES, RENOUVELABLE

Avant de commencer, vous devez être capable de courir 40-45 min, cinq à six jours par semaine, avec un travail régulier de la vitesse.

Pour utiliser le programme de forme physique, suivez d'abord les séances principales. Pour progresser après avoir terminé les quatre premières semaines sans difficulté, répétez le programme, en intégrant les variantes du cycle 2.

Si vous désirez vous entraîner plus longtemps, remplacez les footings courts, davantage destinés à ceux qui n'ont pas l'habitude de courir longtemps, par les longs footings du dimanche. La plupart des entraîneurs conseillent à ceux qui ne préparent pas le marathon de courir entre une heure et quart et deux heures le dimanche.

SEMAINE	LUNDI	MARDI
1	Repos ou 25-40' lentement	10' de jogging ; 8 x 2' (ou 400 m) vite, avec 90" de récup. en joggant ; 10' de jogging (cf. p. 95)
CYCLE 2		Ajoutez deux répétitions
2	Repos ou 25-40' lentement	10' lentement, 20-25' de fartlek, 10' lentement
CYCLE 2		Ajoutez 5' de fartlek
3	Repos ou 25-40' lentement	10' lentement ; 1', 2', 4', 6', 4', 2', 1' (ou 200 m, 400 m, 800 m, 1 600 m, 800 m, 400 m, 200 m) vite, avec récup. moitié moins longues que l'effort ; 10' lentement
CYCLE 2		Ajoutez 30" à chaque effort
4	Repos ou 25-40' lentement	10' lentement ; 4-5 x 4' (ou 800 m), avec 3' de récup. en joggant ; 10' lentement
CYCLE 2		Ajoutez une répétition

Comment s'entraîner pour le 16 km ?

Les programmes pour le semi-marathon sont une bonne base d'entraînement au 16 km. Cependant, en plus de diminuer de trois à cinq kilomètres la distance des longs footings, vous pouvez adapter ces programmes pour une course de 16 km en divisant les séances en segments. Par exemple, échauffez-vous en joggant 3 km, courez 5-6 km à une allure plus lente qu'au 10 km (ajoutez 9-12 secondes par kilomètre) et joggez 1,5 km pour le retour au calme. Sinon, pour adapter un long footing du dimanche ou du milieu de la semaine, courez 3 km sans forcer, 3 km à l'allure du 16 km, 5 km sans forcer, 3 km à l'allure du 16 km, et 2 km sans forcer. Ainsi, vous vous habituerez à la distance et à l'allure du 16 km.

MERCREDI	JEUDI	VENDREDI	SAMEDI	DIMANCHE
30-40' lentement (cf. p. 95)	30-40' lentement, ou : 10-15' de jogging ; 8-10 x 1' en côte, descente en joggant ; 10-15' de jogging	Repos	30-40' lentement	45-55' lentement
	Ajoutez 5-10' lentement, ou 2 rép. en côte			Ajoutez 10'
30-40' lentement	30-40' lentement, ou : 10' de jogging ; 2 x 10' allure vive, avec 5' de récup. en joggant ; 10' de jogging	Repos	30-40' lentement	50-60' lentement
	Ajoutez 5-10' lentement, ou 2' par rép.			Ajoutez 15'
35-50' lentement	35-45' lentement, ou : 10-15' de jogging, 20-25' de fartlek intense	Repos	35-45' lentement, avec foulées (cf. p. 95)	55-65' lentement
	Ajoutez 5-10' lentement, ou 5' de fartlek			Ajoutez 15'
35-50' lentement	35-45' lentement, ou : 35-45' allure soutenue, terrain vallonné	Repos	35-45' lentement, avec foulées	Course de 5-10 km ou 60-70' lentement
	Ajoutez 5-10'			Course de 8-16 km

Semaine 4 – Faites le point.

Prenez votre temps. En cas de fatigue fréquente ou de douleurs persistantes, n'hésitez pas à remplacer un footing long ou éprouvant par un autre plus court ou plus facile. Si vous avez terminé la semaine 4 sans difficulté, et que vous souhaitez vous préparer au niveau 6, effectuez le cycle 2. Sinon, répétez le premier cycle jusqu'à ce vous éprouviez une sensation de facilité. À la fin du cycle 2, recommencez le cycle ou passez au niveau 6.

5

10 km et semi-marathon

Avant de commencer, il faut être capable de courir 40-56 km en cinq à six fois dans la semaine.

SEMI-MARATHONIENS : Les variantes correspondant à votre programme sont indiquées entre [crochets].

ENTRAÎNEMENT MULTISPORT
Compléter la pratique de la course à pied avec d'autres activités (cyclisme, natation, aviron, etc.) constitue une excellente manière de développer la condition physique.

SEMAINE	LUNDI	MARDI	MERCREDI
1	Repos ou 6-8 km lentement	2,5 km de jogging ; 6 x 400 m, avec 2' de récup. ; 2,5 km de jogging (cf. p. 95)	6-8 km lentement (cf. p. 95)
2	Repos ou 6-8 km lentement	2,5 km de jogging ; 6 x 600 m, avec 2' 30" de récup. ; 2,5 km de jogging ; [3-4 x 1 200 m avec 3' de récup.]	6-8 km lentement
3	Repos ou 6-8 km lentement	2,5 km de jogging ; course de vitesse sur 1,6 km ; 2,5 km de jogging	6-8 km lentement [8-10 km]
4	Repos ou 6-8 km lentement	3 km de jogging ; 2 x 200 m, 400 m, 800 m, 400 m, 200 m, avec récup. moitié moins longues et 3' en plus entre les séries ; 3 km de jogging	6-8 km lentement [8-10 km]
5	Repos ou 6-8 km lentement	2,5 km de jogging ; 6 x 800 m, avec 3' de récup. ; 2,5 km de jogging	8-10 km lentement [11-13 km]
6	Repos ou 6-8 km lentement	3 km de jogging ; course de vitesse sur 1,6 km ; 3 km de jogging [séance de samedi]	8-10 km lentement [11-13 km]
7	Repos ou 6-8 km lentement	2,5 km de jogging ; 5 x 1 200 m, avec 3' de récup. ; 2,5 km de jogging	8-10 km lentement [13-14 km]
8	Repos ou 6-8 km lentement	2,5 km de jogging ; 8 x 400 m, avec 2' de récup. ; 2,5 km de jogging [3-4 x 1 600 m, avec 4' de récup.]	6-8 km lentement [13-14 km]
9	Repos ou 6-8 km lentement	3 km de jogging ; 2 x 200 m, 400 m, 800 m, 400 m, 200 m (avec récup. moitié moins longues que les efforts et 3' en plus entre les séries) ; 3 km de jogging	8-10 km lentement
10	Repos ou 5-6 km lentement	1,5 km de jogging, 3 km allure vive, 3 km de jogging	8 km lentement

SEMI-MARATHON UNIQUEMENT

10 km en 40-50 min environ ; semi-marathon en 1 h 30-1 h 50

JEUDI	VENDREDI	SAMEDI	DIMANCHE
8-10 km allure soutenue (cf. p. 95)	Repos	10' lentement, 15' allure vive, 10' lentement (cf. p. 95)	10 km lentement [11 km]
8-10 km allure soutenue	Repos	10' lentement, 35' de fartlek (cf. p. 95)	11 km lentement [13 km]
8-10 km allure soutenue	Repos	2,5 km de jogging ; 5 x 800 m, avec 3' de récup. ; 2,5 km de jogging	13 km lentement [14 km]
			Faites le point
8-10 km allure soutenue	Repos	10' lentement, 25-30' allure vive, 10' lentement	10 km lentement [11 km]
10-11 km allure soutenue	Repos	10' lentement, 40' de fartlek	13 km lentement [14 km]
11-13 km allure soutenue	Repos	3 km de jogging ; 12 x 1' en côte, descente en joggant ; 3 km de jogging [6 km lentement avec foulées]	14 km lentement [course de 10 km]
			Faites le point
11-13 km allure soutenue	Repos	10' lentement, 15' allure vive, 10' lentement	16 km lentement [16-19 km]
6-8 km allure soutenue [11-13 km]	Repos	35' lentement, avec foulées [10' lentement, 35' de fartlek]	Course de 10 km [19-21 km lentement]
8-10 km allure soutenue	Repos	10' lentement, 15' allure vive, 10' lentement	11-14 km lentement
8 km de fartlek sans forcer	Repos	Repos ou 5 km sans forcer, avec foulées facultatives	**Semi-marathon**

Faites le point

Semaine 4
Fixez-vous un objectif de temps approximatif pour le 10 km en vous basant sur votre course de vitesse de 1 600 m de mardi dernier :

8 min = 58 min
7 min = 51 min
6 min = 43 min
5 min 30 = 39 min
5 min = 36 min

Semaine 6
La course de 10 km de dimanche devrait donner aux semi-marathoniens une bonne idée de leur objectif de temps pour le semi-marathon :

58 min = 2 h 15
51 min = 1 h 57
47 min = 1 h 48
43 min = 1 h 39
39 min = 1 h 30
38 min = 1 h 26
36 min = 1 h 21

Programme pour le marathon
(3 h 30–4 h 15)

Avant de commencer, vous devez être capable de courir 45-56 km en cinq fois dans la semaine, avec de longs footings réguliers de 10-11 km.

Semaine 4 – Faites le point.
Jusqu'à présent, l'objectif consiste à augmenter progressivement le kilométrage, sans mettre l'accent sur la vitesse, mais si vous avez couru 10 km en moins de 42 min, vous avez la capacité de terminer un marathon en moins de 3 h 30. Pour l'instant, continuez ce programme, en optant pour les plus grandes distances lorsque vous vous sentirez prêt, et réévaluez votre objectif de temps au marathon après le semi-marathon de la semaine 9.

SEMAINE	LUNDI	MARDI	MERCREDI
1	Repos	2,5 km de jogging ; 4-5 x 800 m, avec 2' de récup ; 1,5-2,5 km de jogging	6-10 km lentement (cf. p. 95)
2	Repos	2,5 km de jogging ; 2-3 x 1 600 m, avec 3' de récup. ; 1,5-2,5 km de jogging	6-10 km lentement
3	Repos	1,5-2,5 km de jogging ; 400 m, 800 m, 1 200 m ; 1 200 m (facultatif) ; 800 m, 400 m, avec récup. moitié moins longues que les efforts ; 1,5-2,5 km de jogging	6-10 km lentement
4	Repos	1,5-2,5 km de jogging ; 8-10 x 400 m, avec 90" de récup. ; 1,5-2,5 km de jogging	6-10 km lentement
5	Repos ou 5 km lentement	1,5-2,5 km de jogging ; 5-6 x 800 m, avec 2' de récup. ; 1,5-2,5 km de jogging	6-8 km lentement
6	Repos ou 6 km lentement	1,5-2,5 km de jogging ; 3-4 x 1 600 m, avec 3' de récup. ; 1,5-2,5 km de jogging	6-8 km lentement
7	Repos ou 6 km lentement	10 km de fartlek, ou 1,5-2,5 km de jogging si pas de course dimanche ; 1 600 m, 1 200 m, 800 m, 1 200 m, 1 600 m, avec récup. moitié moins longues que les efforts ; 1,5-2,5 km de jogging	8-11 km lentement
8	Repos ou 6 km lentement	1,5-2,5 km de jogging ; 8-10 x 400 m, avec 90" de récup. ; 1,5-2,5 km de jogging ; ne forcez pas si course dure dimanche dernier	6-8 km lentement

Pourquoi faut-il travailler la vitesse pour un marathon

Le travail de la vitesse ne se limite pas à familiariser le corps avec le sprint. Courir vite, surtout à plusieurs reprises, permet d'utiliser l'oxygène plus efficacement, de reculer le seuil de fatigue musculaire, de renforcer les jambes, et de brûler beaucoup plus de calories qu'avec un footing normal, même des heures après la séance. Le travail de la vitesse améliore la capacité de courir lorsque la fatigue se fait sentir dans les jambes, ce qui représente un atout inestimable lors d'un marathon.

JEUDI	VENDREDI	SAMEDI	DIMANCHE
8-10 km lentement au début, rapide à la fin	Repos	8 km lentement, route non bitumée	11-16 km lentement
1,5 km lentement ; 5-6 km allure soutenue ; 1,5 km lentement (cf. 95)	Repos	8 km lentement, route non bitumée	14-19 km lentement
3 km lentement, 3-5 km allure vive, 3 km lentement	Repos	8-10 km lentement, route non bitumée	18-23 km lentement
8-11 km de fartlek relâché (cf. p. 95)	Repos	6-10 km lentement, route non bitumée	Course de 10 km (objectif, 42'-51')

« Faites le point

JEUDI	VENDREDI	SAMEDI	DIMANCHE
1,5 km lentement, 6 km allure soutenue, 1,5 km lentement	Repos	8 km lentement, route non bitumée	21-26 km lentement
3 km lentement, 1,5-3 km allure vive, 3 km lentement	Repos	8 km lentement, route non bitumée	24-29 km lentement
8 km allure soutenue	Repos	8-11 km lentement, route non bitumée	Course de 16 km à semi-marathon, ou 23-26 km lentement
6-8 km de fartlek relâché	Repos	6-8 km lentement, route non bitumée	23-26 km lentement

Faites le point »

Semaine 8 – Faites le point.

Vous êtes à mi-chemin de votre objectif de marathon. Votre corps s'habitue à courir plus efficacement. Ces deux derniers mois, vous avez augmenté de 50 % votre kilométrage hebdomadaire, et doublé la distance des longs footings. Si les semaines faciles (semaines 4, 8 et 12) vous ont épuisé, ralentissez le rythme. Consacrez une semaine maximum à courir sans forcer et sur de courtes distances, puis essayez de reprendre le programme progressivement.

Programme pour le marathon

(3 h 30–4 h 15)

Bien qu'à ce stade l'entraînement risque de vous paraître difficile, il vous permettra de vous préparer correctement pour atteindre votre objectif de terminer le marathon en moins de 4 h 15. N'oubliez pas que rien ne vaut ce sentiment d'avoir accompli quelque chose lorsqu'on franchit la ligne d'arrivée.

Semaine 12 – Faites le point.

Comme les semaines 10, 11 et 13 sont les plus éprouvantes du programme, ne soyez pas surpris si vous vous sentez fatigué. La bonne nouvelle, c'est la diminution sensible du rythme après la semaine 13, avec l'assurance d'avoir déjà trois mois d'entraînement au marathon derrière vous.
Votre préparation est presque terminée ; il ne vous reste plus qu'à vous maintenir en bonne santé, bien reposé et sans blessure pendant deux semaines.
Faites soigner toute blessure bénigne par un kinésithérapeute, et peaufinez votre stratégie concernant ce qu'il faut manger et boire avant et pendant la course, si vous ne l'avez pas déjà fait (voir p. 30-3).

Objectifs de course

Le semi-marathon de la semaine 9 devrait vous donner une idée approximative de vos capacités au marathon :

2 h 00 = 4 h 26
1 h 48 = 3 h 58
1 h 35 = 3 h 28
1 h 29 = 3 h 14

En cas de doute sur vos capacités au semi-marathon, la meilleure approche consiste à commencer la course en ménageant vos forces et à accélérer très progressivement tous les 5 km.

SEMAINE	LUNDI	MARDI
9	Repos ou 6 km lentement	10 km de fartlek
10	Repos ou 6 km lentement	1,5-2,5 km de jogging ; 3-5 x 1 600 m, avec 3' de récup. ; 1,5-2,5 km de jogging ; ne forcez pas si course dure dim. dernier
11	Repos ou 6 km lentement	1,5-2,5 km de jogging ; 400 m (facultatif), 800 m, 400 m, 1 200 m, 400 m, 1 600 m, 400 m, 1 200 m, 400 m, 800 m, 400 m (facultatif), avec récup. moitié moins longues que les efforts ; 1,5-2,5 km de jogging
12	Repos ou 6 km lentement	1,5-3 km de jogging ; 12-14 x 400 m, avec 90" de récup. ; 1,5-3 km de jogging
13	Repos ou 6 km lentement	2,5 km de jogging ; 3 200 m, 1 600 m, 3 200 m, avec 4' de récup. ; 2,5 km de jogging
14	Repos	1,5-2,5 km de jogging ; 4-5 x 800 m, avec 2' de récup. ; 1,5-2,5 km de jogging
15	Repos ou 6 km lentement	1,5-3 km de jogging ; 8-10 x 400 m, avec 90" de récup. ; 1,5-3 km de jogging ; ne forcez pas si course dure dim. dernier
16	Repos ou 6-8 km lentement	1,5 km de jogging, 1,5-3 km allure soutenue, 1,5 km de jogging

En cas de blessure

Au cas où une blessure vous empêcherait de courir correctement pendant le dernier mois des programmes, pensez sérieusement à reporter votre marathon. Si vous avez été contraint de manquer plus de deux semaines d'entraînement depuis le début des programmes, il serait peut-être prudent de corriger votre objectif de temps initial en conséquence. (Voir p. 90-91 pour plus d'informations sur ce qu'il faut faire le jour de la course).

MERCREDI	JEUDI	VENDREDI	SAMEDI	DIMANCHE
8-13 km lentement	1,5 km lentement, 8 km allure soutenue	Repos	8 km lent. route non bitumée	Semi-marathon (objectif 1:35-1:58)
6-10 km lentement	1,5 km lentement, 6 km allure vive, 1,5 km lentement	Repos	6-8 km lentement, route non bitumée	27-32 km lentement
6-11 km lentement	8-10 km de fartlek	Repos	8 km lentement, route non bitumée	31-35 km lentement
6-8 km lentement	8-10 km allure soutenue	Repos	6-8 km lentement, route non bitumée	24-29 km lentement
8-14 km lentement	3 km lentement, 3-5 km allure vive, 3 km lentement	Repos	8-10 km lentement, route non bitumée	29-32 km lentement
10-11 km lentement	11-13 km de fartlek	Repos	6-8 km lentement, route non bitumée	21-24 km lentement ou course de 10 km à semi-marathon
6-10 km lentement	3 km lentement, 3-5 km allure vive, 3 km lentement	Repos	8 km lentement, route non bitumée	13-16 km lentement
6-8 km lentement	6 km lentement, avec foulées	Repos	repos ou 3-6 km lentement	**Marathon**

Niveau supérieur

Ce niveau, destiné à ceux dont la progression leur permet de courir 48-65 km en six ou sept fois dans la semaine, comporte un programme de forme physique, un pour le 10 km et le semi-marathon, et un autre pour le marathon. Des objectifs de temps approximatifs sont associés aux programmes de compétition (respectivement, 30-40 min, 1 h 15-1 h 30 et 2 h 50-3 h 30), mais il est plus important de choisir un programme au volume d'entraînement en rapport avec votre condition physique.

Forme physique

Avant de commencer, vous devez être capable de courir 40-50 min, six à sept jours par semaine, avec un travail régulier de la vitesse.

Pour utiliser ce programme de forme physique, suivez d'abord les séances principales. Pour progresser après avoir terminé sans difficulté le premier cycle de quatre semaines, répétez le programme, en intégrant les variantes du cycle 2.

Si vous prenez déjà du plaisir à faire des footings de 90 min ou davantage le dimanche, n'hésitez pas à les effectuer à la place des footings plus courts du dimanche, destinés à ceux qui n'ont pas l'habitude de courir longtemps. La plupart des entraîneurs conseillent à ceux qui ne préparent pas le marathon de courir entre une heure et quart et deux heures le dimanche.

SEMAINE	LUNDI	MARDI
1	30-40' lentement	10' de jogging ; 12 x 2' (ou 400 m) vite, avec 90" de récup. ; 10' de jogging (cf. p. 95)
CYCLE 2		Ajoutez deux répétitions
2	30-40' lentement	10' lentement, 20-25' de fartlek intense, 10' lentement (cf. p. 95)
CYCLE 2		Ajoutez 5' de fartlek
3	30-50' lentement	10' lentement ; 6', 4', 2', 1', 2', 4', 6' (ou 1 600 m, 800 m, 400 m, 200 m, 400 m, 800 m, 1 600 m) vite, avec récup. moitié moins longues que les efforts ; 10' lentement
CYCLE 2		Ajoutez 30" à chaque effort
4	30-50' lentement	10' lentement ; 5-6 x 4' (ou 800 m) vite, avec 3' de récup. en joggant ; 10' lentement
CYCLE 2		Ajoutez une répétition

Si l'entraînement provoque des douleurs, n'ayez pas peur de revenir quelques semaines en arrière.
Vous tirerez plus de profit d'un bon footing dans un entraînement à faible volume que d'un footing moyen dans un entraînement à volume élevé.

Guide de la vitesse

Il faut courir à une allure constante dont la rapidité varie en fonction de la durée des répétitions et des récupérations.
Objectifs de temps :
40 min au 10 km : 400 m = 1 min 25 ; 800 m = 3 min ; 1 200 m = 4 min 50
38 min au 10 km : 400 m = 1 min 22 ; 800 m = 2 min 53 ; 1 200 m = 4 min 40
35 min au 10 km : 400 m = 1 min 15 ; 800 m = 2 min 40 ; 1 200 m = 4 min 15

MERCREDI	JEUDI	VENDREDI	SAMEDI	DIMANCHE
35-45' lentement (cf. p. 95)	35-45' lentement, ou : 10-15' de jogging ; 10-12 x 1' en côte, descente en joggant ; 10-15' de jogging	Repos	35-45' lentement	50-60' lentement
	Ajoutez 5-10' lentement ; ou deux rép. en côte			**Ajoutez 10'**
35-45' lentement	35-45' lentement, ou : 10' de jogging, 2 x 10' allure vive, avec 5' de récup. ; 10' de jogging	Repos	35-45' lentement	55-65' lentement
	Ajoutez 5-10' lentement ; ou 2' à chaque rép.			**Ajoutez 15'**
40-55' lentement	40-55' lentement, ou : 10-15' de jogging, 25-30' de fartlek avec longues accélérations	Repos	40-50' lentement, avec foulées (cf. p. 95)	60-70' lentement
	Ajoutez 5-10' lentement ; ou 5' de fartlek			Ajoutez 15'
40-55' lentement	40-50' lentement, ou : 40-50' allure soutenue, terrain vallonné	Repos	40-50' lentement, avec foulées	Course de 5 km, ou 65-75' lentement
	Ajoutez 5-10'			**Course de 5 km au semi-marathon, ou ajoutez 15'**

Semaine 4 – Faites le point.

Prenez votre temps. En cas de douleurs persistantes, n'hésitez pas à remplacer un footing long ou éprouvant par un autre plus court ou plus facile. Si vous avez terminé la semaine 4 sans difficulté et que vous souhaitez améliorer votre condition physique, effectuez le cycle 2. Sinon, répétez le premier cycle tant que vous le désirez.

10 km et semi-marathon

(34-40 min ENVIRON AU 10 km ; 1 h 15-1 h 30 AU SEMI-MARATHON)

Semaine 3 – Faites le point.

Coureurs du 10 km : fixez-vous un objectif de temps approximatif au 10 km en vous basant sur la course de vitesse de 1 600 m de mardi :

6 min 30 = 47 min
6 min = 43 min
5 min 30 = 39 min
5 min = 36 min
4 min 40 = 34 min

Semi-marathoniens : il est difficile de prévoir les temps au semi-marathon d'après la course de 1 600 m, mais ils peuvent correspondre respectivement à 1 h 48, 1 h 39, 1 h 30, 1 h 21 et 1 h 15. Si vous avez couru le 1 600 m en moins de 6 min 30, c'est très bien, à condition que le kilométrage et l'intensité de ce programme ne vous posent pas problème.

Semaine 6 – Faites le point.

Coureurs du 10 km : ne vous inquiétez pas si la course de vitesse de la semaine dernière était moins rapide que la première ; vous venez de faire trois semaines d'entraînement. Continuez à utiliser votre dernier temps au 1 600 m à titre indicatif. Le jour de la course, commencez à votre allure cible, et accélérez sur les 3 derniers kilomètres si vous vous en sentez d'attaque.

Semi-marathoniens : vous pouvez prévoir votre temps au semi-marathon d'après la course de 10 km de dimanche :

47 min = 1 h 48
43 min = 1 h 39
39 min = 1 h 30
38 min = 1 h 26
36 min = 1 h 21

SEMAINE	LUNDI	MARDI
1	Repos ou 8-10 km lentement	2,5 km de jogging ; 8 x 400 m, avec 2' de récup. ; 2,5 km de jogging (cf. p. 95)
2	Repos ou 8-10 km lentement	2,5 km de jogging ; 8 x 600 m, avec 2'30 de récup. ; 2,5 km de jogging [4-5 x 1 200 m avec 3' de récup.]
3	Repos ou 8-10 km lentement	3 km de jogging ; course de vitesse sur 1 600 m ; 3 km de jogging
4	Repos ou 8-10 km lentement	3 km de jogging ; 2 x 200 m, 400 m, 600 m, 800 m, 600 m, 400 m, 200 m, avec récup. moitié moins longues que les efforts et 3' en + entre les séries ; 3 km de jogging
5	Repos ou 8-10 km lentement	2,5 km de jogging ; 8 x 800 m, avec 3' de récup. ; 2,5 km de jogging
6	Repos ou 8-10 km lentement	3 km de jogging ; course de vitesse sur 1 600 m ; 3 km de jogging [séance de samedi]
7	Repos ou 8-10 km lentement	2,5 km de jogging ; 6 x 1 200 m, avec 3' de récup. ; 2,5 km de jogging
8	Repos ou 8-10 km lentement	2,5 km de jogging ; 9 x 400 m, avec 2' de récup. ; 2,5 km de jogging [4-5 x 1,6 km, avec 4' de récup.]
9 (Semi-marathon uniquement)	Repos ou 8-10 km lentement	3 km de jogging ; 2 x 200 m, 400 m, 600 m, 800 m, 600 m, 400 m, 200 m, récup. moitié moins longues que les efforts, 3' entre les séries ; 3 km de jogging
10 (Semi-marathon uniquement)	Repos ou 5-6 km lentement	1,5 km de jogging, 3 km allure vive, 3 km de jogging

Avant de commencer, vous devez être capable de courir 50-65 km chaque semaine

Semi-marathoniens : les variantes à votre programme correspondent aux chiffres entre [crochets].

MERCREDI	JEUDI	VENDREDI	SAMEDI	DIMANCHE
8-10 km lentement (cf. p. 95)	10-11 km allure soutenue (cf. p. 95)	Repos	10' lentement, 20' allure vive, 10' lentement	13 km lentement [14 km]
8-10 km lentement	10-11 km allure soutenue	Repos	10' lentement, 35' de fartlek (cf. p. 95)	14 km lentement [16 km]
8-10 km lentement [10-11 km]	10-11 km allure soutenue	Repos	2,5 km de jogging ; 6 x 800 m, avec 3' de récup. ; 2,5 km de jogging	16 km lentement [18 km]
				Faites le point
8-10 km lentement [10-11 km]	10-11 km allure soutenue	Repos	10' lentement, 25-30' allure vive, 10' lentement	13 km lentement [10 km]
10-11 km lentement [13-14 km]	11-13 km allure soutenue	Repos	10' lentement, 40' de fartlek	16 km lentement [18 km]
10-11 km lentement [13-14 km]	13-14 km allure soutenue	Repos	3 km de jogging ; 12 x 1' en côte, descente en joggant ; 3 km de jogging [6-8 km lentement, avec foulées]	18 km lentement [course de 10 km]
				Faites le point
10-11 km lentement [14-16 km]	11-13 km allure soutenue	Repos	10' lentement, 20' allure vive, 10' lentement	19 km lentement [19-23 km]
6-8 km lentement [14-16 km]	10-11 km allure soutenue [11-13 km]	Repos	35' lentement, avec foulées [10' lentement, 40' de fartlek]	Course de 10 km [23-24 km]
10-11 km lentement	10-11 km allure soutenue	Repos	10' lentement, 20' allure vive, 10' lentement	13-16 km lentement
10 km lentement	8-11 km de fartlek facile	Repos	6 km facile, avec foulées	Semi-marathon

6

Marathon (2 h 50 – 3 h 30)

Avant de commencer, vous devez être capable de courir 48-65 km en six à sept fois dans la semaine.

SEMAINE	LUNDI	MARDI	MERCREDI
1	6 km lentement	1,5-3 km de jogging ; 5-6 x 800 m, avec 2' de récup. ; 1,5-3 km de jogging (cf. p. 95)	8-10 km lentement (cf. p. 95)
2	6 km lentement	1,5-3 km de jogging ; 3-4 x 1 600 m, avec 3' de récup. ; 1,5-3 km de jogging	8-10 km lentement
3	6 km lentement	1,5-3 km de jogging ; 400 m, 800 m, 1 200 m, 1 600 m (facultatif), 1 200 m, 800 m, 400 m, avec récup. moitié moins longues que les efforts ; 1,5-3 km de jogging	8-10 km lentement
4	8 km lentement	1,5-3 km de jogging, 10-12 x 400 m avec 90" de récup, 1,5-3 km de jogging	8-11 km lentement
5	6 km lentement	1,5-3 km de jogging, 6-7 x 800 m avec 2' de récup, 1,5-3 km de jogging	8-10 km lentement
6	6 km lentement	1,5-3 km de jogging, 4-5 x 1 600 m avec 3' de récup., 1,5-3 km de jogging	6-8 km lentement
7	6 km lentement	10 km de fartlek, ou si pas de course dimanche, 1,5-3 km de jogging ; 1 600 m, 1 200 m, 800 m, 400 m et 800 m facultatifs, 1 200 m, 1 600 m, avec récup. moitié moins longues que les efforts ; 1,5-3 km de jogging	10-11 km lentement
8	6 km lentement	1,5-3 km de jogging, 10-12 x 400 m avec 90" de récup., 1,5-3 km de jogging ; ne forcez pas si compét. dure dim. dernier	6-8 km lentement

Semaine 4 – Faites le point.

Jusqu'à présent, votre objectif consiste à augmenter progressivement le kilométrage. Par conséquent, ne vous inquiétez pas de la vitesse de votre allure. Utilisez les indications suivantes (temps au 10 km) pour estimer votre temps au marathon :

42 min = 3 h 30
40 min = < 3 h 15
36 min = 3 h 00
35 min = 2 h 50

Quelle que soit votre allure de course, écoutez votre corps et diminuez le rythme si vous éprouvez des douleurs persistantes. Si le repos ne semble pas agir sur la douleur, demandez conseil à un spécialiste.

JEUDI	VENDREDI	SAMEDI	DIMANCHE
1,5-3 km de jogging ; 10-14 x 1' en côte, descente en joggant ; 1,5-3 km de jogging	8 km lentement ou repos	8 km lentement, route non bitumée	13-18 km lentement
1,5 km de jogging, 20-30' de fartlek ; 1,5 km de jogging (cf. p. 95)	8 km lentement ou repos	8 km lentement, route non bitumée	16-21 km lentement
2,5 km de jogging, 2 x 10' allure vive avec 5' de récup. en joggant, 2,5 km de jogging (cf. p. 95)	8 km lentement ou repos	8 km lentement, route non bitumée	19-24 km lentement
1,5 km de jogging, 20-30' de fartlek (efforts longs), 1,5 km de jogging	8 km lentement ou repos	8 km lentement, dont 3-5 km allure vive (facultatif), route non bitumée	course de 10 km (objectif 35-42')
1,5-3 km de jogging ; 12-16 x 1' en côte, descente en joggant ; 1,5-3 km de jogging	8 km lentement ou repos	8 km lentement, route non bitumée	23-27 km lentement
1,5 km de jogging ; 25-35' de fartlek (efforts courts) ; 1,5 km de jogging	6 km lentement ou repos	8 km lentement, route non bitumée	26-32 km lentement, dont 8-11 km allure soutenue
2,5 km de jogging ; 2 x 15' allure vive, avec 5' de récup. en joggant ; 2,5 km de jogging	8 km lentement ou repos	8 km lentement, dont 3-5 km allure vive (facultatif), route non bitumée	course de 16 km à semi-marathon, ou 23-26 km lentement
1,5-3 km de jogging ; 4-7 x 2-3' en côte, descente en joggant ; 1,5 km de jogging	Repos	6 km lentement, route non bitumée	26-29 km lentement

Semaine 8 – Faites le point.

Vous êtes déjà à mi-chemin de votre objectif de marathon. Vous courez plus efficacement. Ces deux derniers mois, vous avez augmenté de 50 % votre kilométrage hebdomadaire et doublé la durée de votre long footing. Le semi-marathon de la semaine prochaine devrait vous donner une idée approximative de votre potentiel au marathon :

1 h 40 = 3 h 40
1 h 35 = 3 h 28
1 h 29 = 3 h 14
1 h 22 = 2 h 58
1 h 20 = 2 h 52

Faites le point ▸▸

Semaines 9 – 16 ▸▸

6

Marathon

(2 h 50 – 3 h 30)

SEMAINE	LUNDI	MARDI	MERCREDI
9	8 km lentement	10 km de fartlek	11-13 km lentement
10	8 km lentement	1,5-3 km de jogging ; 4-6 x 1 600 m, avec 3' de récup. ; 1,5-3 km de jogging	8-13 km lentement
11	8 km lentement	1,5-3 km de jogging ; 400 m, 800 m, 400 m, 1 200 m, 400 m, 1 600 m, 400 m, 1 200 m, 400 m, 800 m, 400 m, récup. moitié moins longues que les efforts ; 1,5-3 km de jogging	11 km lentement
12	6 km lentement	1,5-3 km de jogging ; 14-18 x 400 m, 90" de récup. ; 1,5-3 km de jogging	6-8 km lentement
13	8 km lentement	1,5-3 km de jogging ; 4 x 800 m, 3 200 m, 1 600 m, avec 4' de récup. ; 1,5-3 km de jogging	16 km lentement
14	8 km lentement	1,5-3 km de jogging ; 5-7 x 800 m, avec 2' de récup. ; 1,5-3 km de jogging	10-11 km lentement
15	8 km lentement	1,5-3 km de jogging ; 10-12 x 400 m, avec 90" de récup. ; 1,5-3 km de jogging ; ne forcez pas si compét. dure dim. dernier	10 km lentement
16	repos ou 6-8 km lentement	1,5 km de jogging, 1,5-3 km allure soutenue, 1,5 km de jogging	8 km lentement

S'entraîner deux fois par jour

Pour augmenter votre kilométrage hebdomadaire sans beaucoup prolonger vos séances, ajoutez quelques footings faciles le matin ou 6 km à votre programme habituel. Les coureurs kenyans le font chaque jour sans même considérer qu'ils parcourent davantage de kilomètres. Vous n'en avez pas besoin si vous courez plus de 80 km par semaine, ou si vous vous entraînez à faire le marathon en plus de trois heures. Vous pouvez tirer profit d'un entraînement biquotidien si vous souhaitez accomplir en six jours le nombre de kilomètres prévus pour sept.

JEUDI	VENDREDI	SAMEDI	DIMANCHE
1,5 km de jogging, 30-40' de fartlek (efforts longs), 1,5 km de jogging	8 km lentement ou repos	8 km lentement, dont 3-5 km allure soutenue, route non bitumée	Semi-marathon (objectif 1:17-1:35)
1,5-3 km de jogging ; 2 (7 x 1') en côte, avec 3' de récup. entre les séries ; 1,5-3 km de jogging	8 km lentement ou repos	10 km lentement, route non bitumée	29-32 km lentement, dont 8-13 km allure soutenue
2,5 km de jogging ; 3 x 10-12' allure vive, avec 4' de récup. en joggant ; 2,5 km de jogging	8 km lentement ou repos	8 km lentement, route non bitumée	31-35 km lentement
1,5 km de jogging ; 20-30' de fartlek (efforts courts) ; 1,5 km de jogging	8 km lentement ou repos	10 km lentement, route non bitumée	27-29 km lentement, dont 10-13 km allure soutenue
1,5-3 km de jogging ; 6-10 x 2-3' en côte, descente en joggant ; 1,5-3 km de jogging	8 km lentement ou repos	10 km lentement, route non bitumée	32-35 km lentement
1,5 km de jogging ; 20-30' de fartlek ; 1,5 km de jogging	8 km lentement ou repos	10 km lentement, dont 3-5 km allure soutenue, route non bitumée	21-24 km lentement ou course de 10 km à semi-marathon
2,5 km de jogging ; 2 x 10' allure vive, avec 4' de récup. en joggant ; 2,5 km de jogging	8 km lentement ou repos	8 km lentement, route non bitumée	14-18 km lentement
8 km lentement, avec foulées	Repos ou 6 km lentement	Repos ou 6 km lentement	Marathon

Semaine 12 – Faites le point.

Les semaines 10, 11 et 13 sont les éprouvantes du programme ; ne soyez donc pas surpris si vous vous sentez fatigué. Après la semaine 13, le rythme diminue, et cela fait trois mois que vous vous entraînez au marathon. Votre préparation est presque terminée ; vous n'avez plus qu'à rester en bonne santé, bien reposé et sans blessure pendant deux semaines. À présent, c'est le moment de faire soigner toute blessure bénigne par un kinésithérapeute et de peaufiner votre stratégie concernant ce qu'il faut manger et boire avant et pendant la course, si vous ne l'avez pas déjà fait (voir p. 30-31 pour plus d'informations à ce sujet).

3

Comment...

... courir le marathon

... perdre du poids et ne pas en reprendre

... apprécier la course à pied toute sa vie

... courir le marathon

Courir le marathon peut être l'une des expériences les plus satisfaisantes de votre vie. Vous franchirez la ligne d'arrivée dans un état d'épuisement, d'exaltation, au bord des larmes, vous jurant de ne plus jamais recommencer, jusqu'à la prochaine fois. À bien des égards, une telle épreuve représente une version condensée de toute votre pratique de la course à pied, et le profit que vous en tirerez dépendra de l'énergie que vous y aurez consacré. Si vous souhaitez vraiment réussir à relever le défi du marathon, tout en y prenant du plaisir, nous vous conseillons de vous entraîner au moins un an avant d'essayer. Il existe des ouvrages entiers à ce sujet. En voici un bon résumé :

L'entraînement

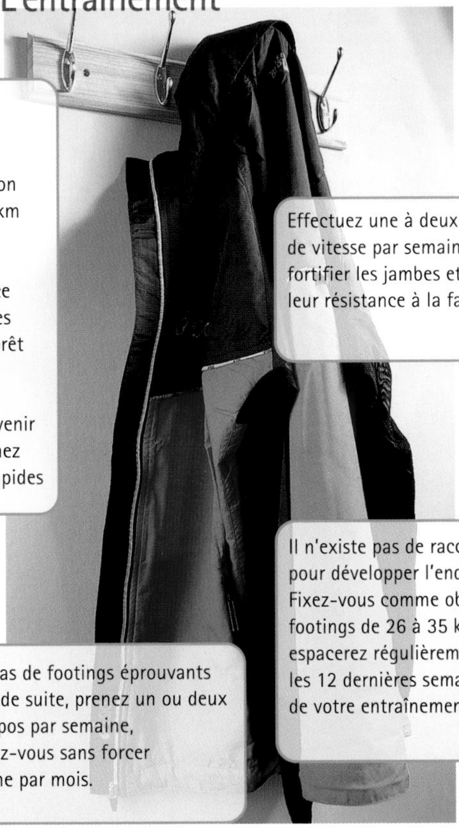

Suivre un programme

Il est indispensable de courir régulièrement et progressivement. (Ne croyez pas l'ami d'un ami qui prétend avoir couru le marathon sans difficulté après seulement 8 km de course par semaine pendant un mois). Un bon programme doit améliorer sensiblement l'endurance et la vitesse, de façon à ce qu'après environ 16 semaines, vous soyez prêt à tenter le marathon en donnant le meilleur de vous-même.
Pour entretenir la motivation, prévenir les blessures et rester fort, combinez des footings longs, des footings rapides et des moments de repos.

Vitesse

Effectuez une à deux séances de vitesse par semaine afin de vous fortifier les jambes et d'augmenter leur résistance à la fatigue.

Endurance

Il n'existe pas de raccourci pour développer l'endurance. Fixez-vous comme objectif cinq à huit footings de 26 à 35 km, que vous espacerez régulièrement pendant les 12 dernières semaines de votre entraînement au marathon.

Repos

Ne faites pas de footings éprouvants deux jours de suite, prenez un ou deux jours de repos par semaine, et entraînez-vous sans forcer une semaine par mois.

Semaine de la compétition

1 Courez sans forcer en faisant quelques courtes séries de grandes foulées, afin de rester en forme mais bien reposé.

2 Continuez à manger des repas normalement équilibrés et les réserves énergétiques de vos muscles se reconstitueront automatiquement à mesure que le kilométrage diminuera. (Voir p. 30-31 pour en savoir plus sur l'alimentation).

3 Les deux derniers jours, buvez abondamment et reposez-vous le plus possible.

4 N'achetez pas de nouveaux vêtements, chaussures, gadgets et aliments énergétiques pour le jour de la course. Tout devra avoir été déjà testé au cours de plusieurs longs footings d'entraînement.

5 Organisez votre voyage, et préparez une liste de vêtements de course ainsi que des vêtements secs et chauds pour l'après-course. Prenez plusieurs épaisseurs chaudes pour le départ.

6 Préparez un plan d'allure approximatif que vous noterez sur votre main ou dossard le jour de la course.

7 En cas de maladie ou de blessure récente, pensez à remettre le marathon à plus tard ; courir 42 km impose une contrainte incroyable, même à un corps en bonne santé.

Jour de la compétition

1 Prévoyez assez de temps pour un petit déjeuner simple, d'environ 400 calories, et qui a déjà fait ses preuves.

2 Envisagez de marcher exactement une minute tous les 1 600 m, même si vous courez le marathon en quatre heures. Ainsi, vous aurez l'impression de n'être pas plus fatigué qu'après un semi-marathon.

3 Ne gaspillez pas votre précieuse énergie lors des premiers kilomètres. Considérez qu'il s'agit d'un simple échauffement.

4 Retenez-vous d'accélérer, surtout pendant les premiers kilomètres. N'envisagez de le faire qu'après le kilomètre 32, si vous vous sentez bien.

5 Ne manquez aucune occasion de boire, même si cela vous oblige à vous arrêter en cas d'envie pressante. La déshydratation est l'un des causes principales du « mur » (épuisement total).

6 Fixez-vous comme but de restituer jusqu'à 600 calories d'énergie pendant la course, avec des gels, des sucres faciles à digérer, ou des boissons pour sportifs. N'oubliez pas de les tester à l'entraînement.

7 Franchissez la ligne d'arrivée avec un sentiment extraordinaire de fierté ; c'est un exploit sensationnel de terminer un marathon.

... perdre du poids et ne pas en reprendre

Malheureusement, il n'existe pas de recette miracle pour perdre du poids : il faut dépenser plus de calories que l'on en consomme. Bien que cela prenne du temps (quoi que l'industrie alimentaire en dise), l'exercice physique régulier et modéré, associé à une alimentation assez saine, permet à long terme d'obtenir de meilleurs résultats qu'avec toute autre méthode.

De plus, vous n'aurez pas seulement l'air en forme grâce à la perte de poids qui résulte d'un programme d'exercice ; c'est tout votre corps qui sera en meilleure santé et plus efficace, et vous serez stimulé par la confiance que donne le sentiment d'accomplir régulièrement quelque chose. Pour y parvenir, faites preuve de modération et adoptez une attitude positive.

Comment s'alimenter pour perdre du poids

- Vous pouvez élaborer une stratégie alimentaire très précise basée sur le calcul de vos besoins quotidiens en calories, mais il est préférable de commencer par porter un regard objectif sur vos habitudes alimentaires et de prendre la décision d'en améliorer un aspect tous les quinze jours. (Voir p. 24-25 pour en savoir plus sur les types d'aliments).

- Essayez de remplacer les en-cas comme le chocolat et les chips par des fruits, des noix, des carottes râpées ou des bagels. Apportez-les au travail et gardez-les à portée de main. De même, chaque semaine, remplacez un ou deux repas à base de viande rouge par des menus végétariens (voir p. 26-27 pour des conseils sur une alimentation équilibrée).

- Mangez peu et souvent pendant la journée, et efforcez-vous de ne pas manger au point d'éprouver une sensation de gêne après le repas. Le corps assimile bien mieux la nourriture en petites quantités.

- Évitez les régimes à la mode. Bien souvent, ils ne permettent d'obtenir des résultats rapides que par une réduction considérable de l'apport calorique, qui s'avère dangereuse pour la santé. C'est pourquoi il est fréquent de reprendre les kilos perdus lorsque le corps réclame à nouveau des rations normales de calories. Pour une perte de poids durable et sans risque pour la santé, fixez-vous comme objectif de diminuer votre ration journalière de 500 à 1 000 calories maximum (de préférence plus près de 500).

Les cinq bases de la perte poids

1 Faites tout avec modération. Ne faites pas de régimes de choc. N'essayez pas non plus de courir 8 km la première fois.

2 Progressez lentement mais régulièrement ; il est indispensable de suivre un programme.

3 Fixez-vous des objectifs spécifiques et réalisables, à la fois de course à pied et de perte de poids, et faites-vous plaisir à chaque fois que vous en atteignez un.

4 Changez vos habitudes alimentaires une par une, et ne vous privez pas de tout ce que vous aimez.

5 Soyez patient. Faites de l'exercice et mangez mieux, même si cela prend du temps.

Maigrir en faisant de l'exercice

- Alternez de courtes séquences de marche et de jogging, même si ce n'est que 2 min de marche et 1 min de jogging, que vous répéterez pendant 30 mn. Ainsi, vous ferez beaucoup plus d'exercice à chaque séance qu'en essayant de courir à petites foulées sans interruption, et vous brûlerez donc davantage de calories et perdrez plus de poids.

- Envisagez de consacrer deux ou trois semaines à pratiquer la marche vive régulièrement avant de vous mettre à la course à pied, et si vous êtes plus de 20 % au-dessus de votre poids idéal, choisissez d'abord une activité génératrice de peu de chocs sur le plan articulaire, comme le cyclisme ou la natation.

- Prenez des engagements. L'idéal est de suivre un programme (comme ceux exposés dans ce livre) qui offre des séances variées et qui permet de progresser. Promettez-vous au moins de courir 20-30 min à chaque fois, trois ou quatre fois par semaine. Tout ce que vous ferez en plus équivaudra à une prime.

- Adoptez une routine. Il est bien plus facile d'aller courir lorsque les séances sont planifiées aux mêmes heures et jours chaque semaine. Tous les coureurs savent qu'un footing non planifié à l'avance n'aura presque aucune chance d'avoir lieu.

- Prenez plaisir à courir ! Savourez ce moment que vous vous accordez. Si vous n'arrivez pas à suivre le rythme, ralentissez !

... apprécier la course à pied toute sa vie

C'est un privilège de pouvoir courir, ne l'oubliez pas, et soyez fier de chaque petit pas que vous faites vers cet objectif.
Voici comment rester en bonne santé, motivé et épanoui pour tirer profit et satisfaction de la course à pied toute votre vie :

Ne pas forcer

Courez à votre rythme, quel qu'il soit. Entraînez-vous toujours à un niveau correspondant à votre condition physique.

Courir entre amis

En courant avec un ami, outre que vous vous motiverez mutuellement, vous apprécierez aussi ces moments passés ensemble.

Être enthousiaste

Pensez au plaisir que vous procure la course à pied et entretenez ce sentiment. Après chaque footing, notez dans un carnet si vous éprouvez une sensation de mieux-être. Les résultats parleront d'eux-mêmes.

Donner un coup de main

Rendez la pareille : aidez au bon déroulement de compétitions, apprenez le métier d'entraîneur, ou jouez un rôle plus actif au sein de votre club régional de course à pied. Vous vous sentirez plus utile, et vous aurez une bonne influence sur les autres coureurs.

Établir des objectifs

Fixez-vous de nouveaux objectifs. Attaquez-vous à une nouvelle distance ou discipline, comme une course d'une distance supérieure au marathon, ou une course de navigation de deux jours.

Diversifier l'entraînement

Ne faites pas le même footing plus de deux fois par semaine. Combinez travail de la vitesse, courses longues, et footings de récupération très reposants, et si possible choisissez un éventail de routes bitumées et non revêtues.

Faire des compétitions

Inscrivez-vous à des courses afin de prendre de l'assurance et de mieux évaluer les progrès que vous effectuez.

Être soi-même

Enfin, pratiquez la course à pied comme vous l'entendez. C'est un privilège de pouvoir courir, et ne laissez personne vous dire que vous devez l'apprécier d'une certaine manière.

94

Glossaire

ALLURE LENTE. Allure à laquelle on peut facilement maintenir une conversation, et qui permet la meilleure récupération ; inférieure à 65 % de votre fréquence cardiaque de travail.

ALLURE RAPIDE. Allure de course à laquelle on termine un footing d'entraînement avec la sensation d'avoir fourni un maximum d'effort. Allure du 5-10 km, autour de 85-90 % de votre fréquence cardiaque de travail.

ALLURE SOUTENUE. Allure à laquelle on travaille l'endurance. Permet tout juste de maintenir une conversation. Allure de marathon, ou environ 75 % de votre fréquence cardiaque de travail.

ALLURE VIVE. Plus rapide qu'une allure permettant la poursuite d'une conversation, mais pas au point de vous essouffler. Allure de semi-marathon, autour de 85 % de votre fréquence cardiaque de travail.

BAGELS. Petits pains en anneau, à la fois très diététiques et nourrissants.

FARTLEK. « Jeu de vitesse » qui consiste à accélérer librement lors d'un footing normal.

FOOTINGS DE RÉCUPÉRATION. Footings sans forcer destinés à entretenir la souplesse du corps, à éliminer les toxines et à brûler des calories. En général, on les effectue les lendemains de séances ou de compétitions éprouvantes.

FOULÉE. Mouvement du corps pendant la course à pied. Plus précisément, mouvement du pied et de la cheville, de la phase de contact du talon sur le sol à celle de poussée sur les orteils.

FOULÉES. Séries de 100 m à foulées rapides et souples pour assouplir les jambes et élever la fréquence cardiaque avant une compétition ou une séance de vitesse. En général, on les effectue après un jogging d'échauffement et quelques étirements.

FRÉQUENCE CARDIAQUE DE REPOS. Fréquence cardiaque normale la plus basse ; à prendre de préférence juste après le réveil.

FRÉQUENCE CARDIAQUE DE TRAVAIL. Fourchette complète de votre fréquence cardiaque, entre le pouls au repos et sa valeur maximale.

HYDRATES DE CARBONE COMPLEXES. Aliments composés de molécules qui permettent une libération lente et continue d'énergie (voir INDEX GLYCÉMIQUE).

HYDRATES DE CARBONE SIMPLES. Aliments composés de molécules qui entraînent une libération brève et maximale d'énergie (voir INDEX GLYCÉMIQUE).

HYPERPRONATION. Rotation excessive du pied et de la cheville vers l'intérieur pendant la foulée. Ce problème fréquent, s'il n'est pas corrigé, peut provoquer des entorses.

INDEX GLYCÉMIQUE. Classement des aliments en fonction de la vitesse à laquelle leur énergie est libérée dans le corps.

PRONATION. Rotation normale du pied et de la cheville vers l'intérieur pendant la course et la marche à pied. Ce mouvement, qui permet d'amortir les chocs, se produit juste après la phase de contact du talon sur le sol. (Voir aussi HYPERPRONATION et SUPINATION EXCESSIVE).

RÉCUPÉRATIONS. Intervalles de repos entre les efforts rapides lors du travail de la vitesse. L'idéal est de récupérer en courant lentement à petites foulées pour faire retomber votre fréquence cardiaque à 120-130.

RÉPÉTITION. L'un des intervalles de course rapide pendant une séance de vitesse.

SMOOTHIE AUX FRUITS. Fruits frais passés à la centrifugeuse avec ou sans produits laitiers.

SUPINATION EXCESSIVE. Rotation insuffisante du pied et de la cheville vers l'intérieur pendant la foulée. Ce problème, s'il n'est pas corrigé avec des chaussures adaptées, peut provoquer des blessures articulaires.

TRAVAIL DE VITESSE. Séances d'entraînement destinées à développer la condition physique en alternant des séquences de course rapide avec des périodes de récupération à allure lente.

Index